日韓対訳

韓国
Q & A

——— ✛ ———

キム・ヒョンデ

IBCパブリッシング

装幀：高橋玲奈

まえがき

　日本の会社に勤めて４年目になり、その間知らなかった日本と日本人について少しずつ知っていく楽しさを感じています。この20年あまりの間、数回旅行と語学研修のために日本を訪問しましたが、やはり現地で直接生活しながら様々な脈絡を理解しなければ分からないその国特有の文化と生活様式というものがあるようです。数千年の歴史を通じて蓄積されてきた一国の文化を、どちらか一方の断面だけを見てあれこれ判断するのはうかつなことだと思われます。

　日本で生活しながら意外と驚いた点は、日本人の韓国に対する関心が以前に比べてぐんと高まったということです。もちろん日本で「韓流」の流行が何度かあったことはよく聞いていました。しかし、ここ数年の韓国に対する関心は、以前の韓流の人気とは少し違うと感じました。過去には韓流芸能人の近況や外見、ファッションについての質問が主流でしたが、今はその関心の範囲がより広く、深くなっています。

　例えばこうです。ドラマ『愛の不時着』を見た日本人の友人は、韓国と北朝鮮がなぜ分断され、現在は政治的にどのような状態なのか、そして両国民の生活様式がどれだけ違うのかについて疑問に思っています。韓国人と北朝鮮の人が会うとお互いに言葉が通じるのかということも尋ねてきます。映画『パラサイト　半地下の家族』

を観てきた日本人は、韓国における貧富の格差や資本主義社会像について質問してきます。半地下や屋根部屋に住んでみたいという友人もいるほどです。『梨泰院クラス』に出てくる韓国料理を実際に食べてみようと韓国旅行に出かける日本人も多数見ました。韓国語を勉強する日本人の皆さんはどうですか？　皆さんの周りにもそんな友人がかなり増えていませんか？

　この本を企画することになった理由が、これです。韓国について知りたい日本人にできるだけ多様な情報と観点を提供したかったからです。この本は韓国に関する基本情報をはじめ、歴史、政治、経済、社会、文化および芸術に至るまで、日本人が気になるような韓国に関する情報を盛り込もうと努力しました。一部は縮約されたり省略されたりするものも、中には少したわいないことだったり枝葉のような質問も含まれています。それでも日本人の視点から韓国を理解するために必要だと思われる質問であれば、その軽重を問わず内容に含めました。

　地理的に最も近い国であり長い年月を共にしてきた国ですが、日本と韓国はお互いに理解し難い特有の文化というものがあるようです。韓国について知れば知るほど「いったい韓国は、韓国人はなぜ？」という疑問が自然に浮かぶのではないでしょうか。この本を読んでいると、ある面では日本とはあまりにも違うし、また別の面ではほとんど似ている点を発見することができるでしょう。特に日

韓両国の間で歴史を眺める観点にははっきりとした違いが存在しています。それでも、違いは違いと認め、共に改善する点はお互いに膝を突き合わせて悩む心構えが、いつにもまして必要だと思います。また、この本は韓国語と日本語を並べて配置することで、韓国語の読解を勉強する読者の皆さんに役立てられたらという思いで作りました。

　当然のことながら、日本と同様に長い歴史を受け継いできた韓国をこの本1冊ですべて説明することは、そもそも不可能というだけでなく、適切でもないでしょう。ただ、この本を通じて、読者の皆さんが韓国という国家をある一面だけでなく、歴史、政治、経済、社会、文化などの多様な側面から総合的に見渡していただけたら、それで満足だと思っています。

キム・ヒョンデ

もくじ

教えてキムさん！
もっと気になる韓国のなぜ？なに？

韓国の基本情報

　国　名：大韓民国
　首　都：ソウル特別市

　公用語：韓国語（使用文字はハングル）
　面　積：100,200km²（世界109位）
　　　　　　＊朝鮮半島の約45%、日本の約4分の1
　人　口：約5,162万人（2022年）
　通　貨：大韓民国ウォン（KRW）

　政　体：民主共和制
　大統領：尹錫悦（2022年5月10日−）

白翎島　　江華島

永宗島　　　　　　　2

忠清南

安眠島

珍島

済州特別自治道　　済州島

馬羅島

京畿道

江原道

太白山脈

忠清北道

8

3

慶尚北道

全羅北道

5

慶州市

6

智異山

慶尚南道

7

全羅南道

南海島

巨済島

鬱陵島

竹島

島根県

1：ソウル特別市
2：仁川広域市
3：大田広域市
4：光州広域市
5：大邱広域市
6：蔚山広域市
7：釜山広域市
8：世宗特別自治市

챕터 **1**
한국의 대지와 사람

Chapter **1**
韓国の大地と人

국토와 자연

Q 국토의 크기는 어느 정도?

A 한국은 동아시아의 중국과 일본 사이에 위치한 반도국가로서, 총 면적은 100,200km² 이며 이는 과테말라, 아이슬란드의 뒤를 이어 세계 109위에 해당한다. 일본과 비교하면 약 4분의 1 정도로 혼슈의 절반에 미치지 못하고 홋카이도보다는 조금 큰 크기이다. 과거에 비해 한국의 국토는 간척을 통한 확장으로 꾸준히 증가하고 있다. 한편 한국 헌법 제4조에 "대한민국의 영토는 한반도와 그 부속도서로 한다"라고 규정되어 있어, 이에 따르면 북한의 국토 역시 한국에 포함된다. 이 헌법 조항은 한국과 북한은 원래 한 국가였고, 언젠가는 통일되어야 할 국가라는 의지를 담고 있다. 반면에 동 헌법 조항으로 인해서, 한국 정부는 북한을 국가로서 인정하지 않는 것이 되어 남북관계에서 여러 문제를 야기하기도 한다. 이렇게 한국과 북한을 합한 한반도의 크기로 계산하면 면적은 총 223,400km² 로 세계 85위에 해당한다.

国土と自然

Q 国土の大きさはどれくらい？

A 韓国は東アジアの中国と日本の間に位置する半島国家で、総面積は100,200km²であり、これはグアテマラ、アイスランドの後に次いで世界109位に当たる。日本と比べると約4分の1程度で本州の半分に及ばず、北海道よりは少し大きい。過去に比べて韓国の国土は干拓による拡張で着実に増加している。一方、韓国憲法第4条に「大韓民国の領土は韓半島*とその付属島嶼とする」と規定されており、これによると北朝鮮の国土も韓国に含まれる。同憲法条項は、韓国と北朝鮮はもともと一国家であり、いつかは統一されなければならない国家という意志を含んでいる。しかし、同憲法条項によって、韓国政府は北朝鮮を国家として認めないことになり、南北関係で様々な問題を引き起こしたりもする。このように韓国と北朝鮮を合わせた朝鮮半島の大きさで計算すると、面積は計223,400km²で世界85位に当たる。

*韓国における「朝鮮半島」の呼称。

Q 영토는 언제 결정되었나?

A 한국은 1945년 일본의 식민 통치에서 해방된 이후 현재의 한국 지역은 미군, 북한 지역은 소련군이 점령하여 약 3년간의 신탁통치 기간에 들어간다. 이때 미국과 소련은 북위 38도 선을 기준으로 남북의 경계를 설정하여 각 지역에 군정을 설치했다. 1948년, 한국과 북한에 각각 단독정부가 성립한 이후에도 이른바 '38선'은 남북 간의 경계로 여전히 유효했다. 하지만 1950년, '한국전쟁'이 발발하자 '38선'은 유명무실해졌고 전쟁 기간 동안 양측은 서로 밀고 밀리는 치열한 전선을 형성한다. 전쟁은 3년이 넘게 지속되었고, 1953년에야 양측은 휴전에 합의한다. 휴전협정에서 전쟁 발발 전의 '38선'으로의 원상회복도 논의되었으나, 결국 휴전 당시 각 측의 점령지역을 경계로 휴전선을 설치하기로 합의했다. 한반도를 가로지르는 휴전선은 이른바 DMZ (비무장지대)로서 남북한의 경계가 되어 오늘날에 이르고 있다.

Q 領土はいつ決まったのか？

A 韓国は 1945 年、日本の植民統治から解放されて以来、現在の韓国地域は米軍、北朝鮮地域はソ連軍が占領し、約 3 年間の信託統治期間に入る。このとき、米国とソ連は北緯 38 度線を基準に南北の境界を設定し、各地域に軍政を設置した。1948 年、韓国と北朝鮮にそれぞれ単独政府が成立した後も、いわゆる「38 度線」は南北間の境界で依然として有効だった。 しかし 1950 年、「韓国戦争*」が勃発すると、「38 度線」は有名無実になり、戦争期間中に両側は互いに押される激しい戦線を形成する。戦争は 3 年以上続き、1953 年になってようやく両者は休戦に合意する。休戦協定で戦争勃発前の「38 度線」への原状回復も議論されたが、結局休戦当時、各側の占領地域を境に休戦ラインを設置することで合意した。朝鮮半島を横切る休戦ラインは、いわゆる DMZ（非武装地帯）として南北の境界となり、今日に至っている。

＊韓国における
「朝鮮戦争」の
呼称。

Q 섬은 어느 정도 있는가?

A 　삼면이 바다로 둘러싸인 한국은 남해안과 서해안에 수많은 섬들이 분포되어 있다. 그 가운데에는 빼어난 경관을 갖춰 관광객을 모으는 섬이 있는가 하면, 바위투성이인 섬도 있다. 공식적으로 한국의 섬은 총 3,348개로 이 중에 사람이 사는 유인도가 472개, 무인도가 2,876개이며, 이 수는 인도네시아, 필리핀, 일본의 뒤를 이어 세계 4위에 해당한다. 한국에서 가장 큰 섬은 유명한 관광지인 제주도로 서울의 세 배가 넘는 면적의 섬이며, 그 다음이 남해안에 위치한 거제도이다. 한국은 북쪽이 북한에 의해 가로막혀 있어서 육로를 통해서는 외국으로 갈 수 없기에 사실상 섬나라인 상태라고도 할 수 있다.

Q 국토를 차지하는 산림의 비중은?

A 　한국의 산림 면적은 국토의 63.2%로, 지역별로는 강원도와 경상북도가 한국 산림 면적의 43%를 차지한다. 이 곳에 산림이 풍부한 이유는 한반도의 등줄기라고 불리는 '백두대간'이 이 지역을 통과하고 있기 때문이다. '백두대간'이란 북한의 백두산에서 시작하여 두류산, 금강산, 한국의 설악산, 오대산, 속리산을 거

Q 島はどれくらいあるのか？

A 三面が海に囲まれた韓国は南海岸と西海岸に数多くの島々が分布している。その中には優れた景観を備え観光客を集める島があれば、岩だらけの島もある。公式的に韓国の島は計3,348個で、この中で人が住む有人島が472個、無人島が2,876個であり、この数はインドネシア、フィリピン、日本の後に続き世界4位に該当する。韓国で最も大きな島は有名な観光地である済州島で、ソウルの3倍を超える面積の島であり、その次が南海岸に位置する巨済島だ。韓国は北側が北朝鮮によって遮られており、陸路を通じては外国に行けないため、事実上島国の状態とも言える。

Q 国土に占める山林の割合は？

A 韓国の山林面積は国土の63.2%で、地域別では江原道と慶尚北道が韓国山林面積の43%を占める。ここに山林が豊富な理由は朝鮮半島の背筋と呼ばれる「白頭大幹」がこの地域を通過しているためだ。「白頭大幹」とは、北朝鮮の白頭山から始まり、頭流山、金剛山、韓国の雪岳山、

쳐 지리산까지 이어지는 한반도 땅의 근골을 이루는 거대산 산줄기를 이른다. 특히 이 백두대간의 일부를 이루는 '태백산맥'은 한반도에서 가장 긴 산맥으로, 한국의 유명한 대하소설 제목으로 쓰이기도 했다. 소설 <태백산맥>은 1945년 해방 이후부터 한국전쟁 때까지 치열했던 남북간의 이념 대립과 민중들의 한을 묘사하여 독자들의 사랑을 받은 작품으로, 이 소설의 제목을 '태백산맥'으로 지을 정도로 한반도를 상징하는 산맥이다.

Q 어떤 산이 있는가?

A 한국에서 가장 높은 산은 제주도 중앙부에 있는 해발 1,947m의 한라산으로 제주도의 면적 대부분을 차지하고 있는 화산이다. 한라산은 국립공원이자 천연보호구역이며, 유네스코 세계자연유산으로 등록되어 있다. 섬을 제외한 한국의 내륙에서 가장 높은 산은 백두대간의 끝자락에 위치한 지리산이다. 경상남도, 전라남도, 전라북도의 3개 도에 걸친 가장 넓은 면적을 지닌 지리산은 천왕봉, 노고단 등을 중심으로 수많은 봉우리가 병풍처럼 펼쳐져 있으며, 20여 개의 능선 사이로 계곡들이 자리하고 있다. 한국 최초의 국립공원으로 지정되었으며, 예로부터 영산으로 추앙받아 수많은 사찰과 근현대 문화재가 남아 있는 중요한 산이다. 한라산과 지리산에 이어 세 번째로 높은 설악산 또한 태

五台山、俗離山を経て智異山まで続く朝鮮半島の地の筋骨を成す巨大山の山脈を指す。特にこの白頭大幹の一部を成す「太白山脈」は朝鮮半島で最も長い山脈で、韓国の有名な大河小説のタイトルとして使われたりもした。小説『太白山脈』は1945年解放以後から朝鮮戦争まで激しかった南北間の理念対立と民衆の恨みを描写し読者から愛された作品で、この小説のタイトルを「太白山脈」にするほど朝鮮半島を象徴する山脈だ。

Q どんな山があるのか？

A 韓国で最も高い山は済州道中央部にある海抜1,947mの漢拏山で、済州道の面積の大部分を占めている火山だ。漢拏山は国立公園であり天然保護区域であり、ユネスコ世界自然遺産に登録されている。 島を除いた韓国の内陸で最も高い山は白頭大幹の端に位置する智異山だ。

漢拏山の頂上にある火山湖の「白鹿潭」は「白い鹿が水を飲むところ」という意味。

慶尚南道、全羅南道、全羅北道の3道にまたがる最も広い面積を持つ智異山は天王峰、老姑壇などを中心に数多くの峰が屏風のように広がっており、20余りの稜線の間に渓谷が位置して

백산맥에 있는 강원도의 명산이다. 한국전쟁 전에는 북한에 속했다가 휴전선이 그어지면서 한국에 포함되었다. 흔들바위와 울산바위가 유명한 설악산은 동해안에 인접해 있어 산과 바다를 함께 즐길 수 있는 국립공원이다. 국립공원으로 지정된 한국의 산들은 다양한 등산 코스가 정비되어 있어, 계절마다 수많은 등산객을 맞이하고 있다.

Q 어떤 국립공원이 있는가?

A 한국의 국립공원은 총 22곳이 있으며 유형에 따라 산악형 (18개), 해상·해안형 (3개), 사적형 (1개) 로 나뉘어 있다. 한국의 유명한 산들은 대부분 국립공원으로 지정되어 있으며, 이를 제외한 유일한 사적형 국립공원은 경주국립공원이다. 경주는 삼국시대 세 나라 가운데 하나이자 삼국을 통일한 신라의 수도로서 신라 천 년의 역사를 품고 있는 사적의 도시이다.

흔히 일본의 교토와도 비견되는 경주는 한국 불교 문화의 백미인 불국사와 석굴암을 비롯하여 신라의 역사와 문화가 담긴 수많은 유적지와 세계문화유산을 보유하고 있다. 제주도와 해외로 수

いる。韓国初の国立公園に指定され、昔から霊山として崇められて数多くの寺院と近現代文化財が残っている重要な山だ。 漢拏山と智異山に続き3番目に高い雪岳山も太白山脈にある江原道の名山だ。朝鮮戦争前には北朝鮮に属していたが休戦ラインが引かれ韓国に含まれた。ゆるぎ岩と蔚山岩が有名な雪岳山は東海岸に隣接しており、山と海を一緒に楽しめる国立公園だ。国立公園に指定された韓国の山々は様々な登山コースが整備されており、季節ごとに多くの登山客を迎えている。

Q どんな国立公園があるのか？

A 韓国の国立公園は計22か所あり、類型によって山岳型（18か所）、海上・海岸型（3か所）、史跡型（1か所）に分かれている。韓国の有名な山々はほとんどが国立公園に指定されており、これを除く唯一の史跡型国立公園は慶州国立公園だ。慶州は三国時代の三国の一つであり、三国を統一した新羅の首都として新羅千年の歴史を持つ史跡の都市である。

　よく日本の京都とも比肩する慶州は、韓国仏教文化の白眉である仏国寺と石窟庵をはじめ、新羅の歴史と文化が込められた数多くの遺跡と世界文化遺産を保有している。

학여행지가 확장되기 이전의 대다수 한국인들은 학창시절 수학여행의 추억으로 경주를 기억하고 있다. 남해안과 서남해안에는 뱃길을 따라 크고 작은 섬들과 천혜의 자연경관이 조화를 이루는 해양생태계의 보고, 한려해상국립공원과 다도해국립공원이 있다. 석양의 붉은 빛을 받아 빛나는 섬들을 보노라면, 바다 위에 보석을 점점이 흩어놓은 듯한 착각에 빠질지도 모른다.

Q 어떤 강이 있는가?

A 동쪽이 산맥을 이루어 높고, 서남쪽이 평야 지대를 이루고 있는 한국의 지형 특성상 한국의 강은 서남쪽으로 길고 완만한 형태로 흐르는 것이 많다. 쌀을 주식으로 하는 한국은 예로부터 벼농사의 수자원이자 식수원으로 하천의 관리가 중요했고, 그 때문인지 한국의 옛 노래나 이야기에는 강을 소재로 한 것이 많이 있다. 고조선시대에 창작된, 기록상 현존하는 한국의 가장 오래된 시가인 <공무도하가>는 한글로 풀이하면 '임아 물을 건너지 마오'라는 뜻으로, 작자 또한 뱃사공으로 알려져 있다.

한국에서 가장 긴 강은 낙동강으로 강원도에서 시작하여 경상도 전역을 유역권으로 하며 남해로 흐르는 강이다. 한국전쟁 당

済州島と海外に修学旅行地が拡張される以前の大多数の韓国人は、学生時代の修学旅行の思い出として慶州を覚えている。南海岸と西南海岸には航路に沿って大小の島々と天恵の自然景観が調和を成す海洋生態系の宝庫、閑麗海上国立公園と多島海国立公園がある。夕日の赤い光を浴びて輝く島々を見ていると、海の上に宝石を点々と散りばめたような錯覚に陥るかもしれない。

慶州にある新羅の王子たちが住んでいた離宮跡は「東宮と月池」という当時の名称で観光地として親しまれている。

Q どんな川があるのか？

A 東が山脈を成して高く、西南側が平野地帯を形成している韓国の地形の特性上、韓国の川は西南側に長く緩やかな形で流れることが多い。米を主食とする韓国は昔から稲作の水資源であり飲料水源として河川の管理が重要であり、そのためか韓国の昔の歌や話には川を素材にしたものが多くある。古朝鮮時代に創作された記録上現存する韓国最古の詩歌である「公無渡河歌」は、ハングルで解釈すると「あなたよ、川を渡らないで」という意味で、作者も船頭として知られている。

韓国で最も長い川は洛東江で江原道から始まり慶尚道全域を流域圏とし南海に流れる川だ。朝鮮戦争当時、「洛東

시 '낙동강 전선'은 북한군의 남하를 저지하는 최후의 방어선으로서 기능했으며, 만약 이 전선이 무너졌더라면 한국은 존재하지 않았을지도 모른다. 낙동강과 더불어 수도권의 한강, 충청도의 금강, 전라도의 영산강을 한국의 4대강이라고 부른다.

Q 한강은 어떤 강?

A 한강은 한반도 중부에 위치한 강으로 북한강과 남한강이 서울의 동쪽에서 합쳐져 서울을 관통하며 서해안으로 흐르는 한국을 대표하는 강이다. 한강은 한국의 역사에서도 중요한 강인데, 백제가 한강 유역에서 건국되었으며, 고구려·신라와 함께 이 강의 중하류를 차지하는 국가가 삼국시대의 전성기를 맞이했다. 서울의 지역을 구분하는 강북과 강남이라는 명칭은 한강을 기준으로 한 것이지만, 원래 조선시대(한양), 식민지시대(경성)의 서울은 한강 이북 지역, 즉 강북이었다. 한국전쟁 이후 세계 최빈국이었던 한국은 1960년대에 들어 서서히 경제 성장을 시작했고 불과 20~30년 만에 개발도상국으로서 '아시아의 네 마리 용'이라 불릴 정도의 빠른 경제 성장을 이룩했다. 이러한 한국의 빠른 경제 성장을 독일의 '라인강의 기적'에 빗대어 '한강의 기적'이라고 부른다. 이 와중에 강남도 개발되어 서울로 편입되었으며, 현재의 강남은 한국에서 가장 번화하고 땅값이 비싼 지역으로 유명하다. 현재 한강은 총 28개의 다리가 건설되어 남북을 연결하고 있으며,

江戦線」は北朝鮮軍の南下を阻止する最後の防御線として機能し、もしこの戦線が崩れていたら韓国は存在しなかったかもしれない。洛東江とともに首都圏の漢江、忠清道の錦江、全羅道の栄山江を韓国の4大河川と呼ぶ。

Q 漢江とはどんな川？

A 漢江は韓半島中部に位置する川で、北漢江と南漢江がソウルの東から合わさってソウルを貫通し、西海岸に流れる韓国を代表する川だ。漢江は韓国の歴史の中でも重要な川だが、百済が漢江流域で建国され、高句麗・新羅とともにこの川の中下流を占めた国が三国時代の全盛期を迎えた。ソウルの地域を区分する江北と江南という名称は漢江を基準にしたものだが、もともと朝鮮時代（漢陽）、植民地時代（京城）のソウルは漢江以北地域、すなわち江北だった。朝鮮戦争以後、世界最貧国だった韓国は1960年代に入って徐々に経済成長を始め、わずか20〜30年で発展途上国として「アジアの四頭の龍*」と呼ばれるほどの速い経済成長を成し遂げた。このような韓国の速い経済成長をドイツの「ライン川の奇跡*」になぞらえて「漢江の奇跡」と呼ぶ。この中で江南も開発されソウルに編入され、現在の江南は韓国で最も賑やかで地価が高い地域として有

*四頭は「韓国・台湾・香港・シンガポール」を指し、当時年7%を超える高い成長率を維持して急速な工業化を遂げた。

*第二次世界大戦後の西ドイツ経済の急速な再建と成長を表す。

강변을 따라 다양한 휴양, 운동 시설이 설치되어 시민공원으로서 기능하고 있다. 시민공원에 돗자리를 펴고 앉아 시원한 강바람을 맞으며 치킨과 맥주를 배달해 먹는 것은 외국인 관광객에게도 인기 있는 서울 관광 코스이다.

名だ。現在、漢江は計28の橋が建設され南北を連結しており、川辺に沿って多様な休養、運動施設が設置され、市民公園として機能している。市民公園にござを敷いて座り、涼しい川風に吹かれながらチキンとビールを配達して食べるのは外国人観光客にも人気のソウル観光コースだ。

市民公園でくつろぐ人々

기후

Q 기후의 특징은?

A 한국은 지리적으로 온대성 기후대에 위치하여 일본과 마찬가지로 봄, 여름, 가을, 겨울의 사계절이 뚜렷하게 나타난다. 봄과 가을은 이동성 고기압의 영향으로 맑고 건조하며, 여름은 고온 다습한 북태평양 고기압의 영향으로 무더운 날씨를 보인다. 겨울에는 한랭 건조한 대륙성 고기압의 영향을 받아 춥고 건조하다. 연평균 기온은 7~15℃, 월별로 가장 더운 8월에 월평균 19.7~26.7℃, 가장 추운 1월에 −6.9~3.6℃로 나타난다. 강수량은 여름철이 전체의 54%를 차지한다.

겨울에는 전국적으로 눈이 내리고 얼음이 얼어 스키와 스케이트를 즐길 수 있다. 특히 강원도 산간 지역은 눈이 풍부하여 겨울철 스키장으로 유명하다. 여름 휴가철 부산 해운대 해수욕장에는 하루 100만 명 안팎의 피서객들이 모여, 매년 뉴스의 단골 소재가 되곤 한다. 한국은 본래 사계절이 뚜렷한 기후 환경이었으나 지구온난화 등의 영향으로 여름이 더 길고 무더워지고, 봄과 가을은 급격히 줄어들며, 국지성 폭우로 특징되는 열대성 호우가 잦아져 아열대화가 진행되고 있다.

気候

Q 気候の特徴は？

A 韓国は地理的に温帯性気候帯に位置し、日本と同様に春、夏、秋、冬の四季が明確に現れる。春と秋は移動性高気圧の影響で澄んで乾燥し、夏は高温多湿な北太平洋高気圧の影響で蒸し暑い。冬には寒冷乾燥した大陸性高気圧の影響を受けて寒くて乾燥している。年平均気温は7～15℃、月別で最も暑い8月に月平均19.7～26.7℃、最も寒い1月に－6.9～3.6℃となる。降水量は夏場が全体の54%を占める。

　冬には全国的に雪が降って氷が凍ってスキーやスケートを楽しむことができる。特に江原道山間地域は雪が豊富で冬のスキー場として有名だ。夏休みシーズン、釜山の海雲台海水浴場には1日100万人前後の避暑客が集まり、毎年ニュースの定番素材になる。韓国は本来、四季がはっきりしている気候環境だったが、地球温暖化などの影響で夏がさらに長く蒸し暑くなり、春と秋が急激に減り、局地性豪雨で特徴的な熱帯性豪雨が多くなり、亜熱帯化が進んでいる。

Q 한국에서도 봄이 되면 꽃가루가 날리는가?

A 한국에서 봄은 흔히 '만물이 소생하는 계절'이라는 관용적인 표현을 쓰곤 한다. 한국도 봄이 되면 꽃가루 알레르기에 시달리는 사람들이 점차 늘고 있는 추세이다. 물론 국민 4명 중 1명이 화분증으로 시달려 국민병이라고 불리는 일본과 비교하면 그 수는 매우 적은 편이다.

봄이 되면 한국인을 괴롭히는 더욱 큰 불청객은 '황사'이다. 황사는 주로 봄철에 중국이나 몽골의 사막에 있는 모래와 먼지가 상승하여 편서풍을 타고 날아가 서서히 가라앉는 현상을 말하는데, 중국과 인접한 한국은 매년 황사로 인해 인체의 건강뿐 아니라 농업을 비롯한 여러 산업 분야에서 큰 피해를 입고 있다.

봄철에 한정된 것은 아니지만, 황사와 함께 최근 한국에서 사회문제로까지 떠오른 것이 '미세먼지'이다. 한국에서는 PM10을 '미세먼지', PM2.5를 '초미세먼지'라고 부른다. 한국에서 미세먼지는 그 발생 원인부터 대책에 이르기까지 수많은 논란을 불러일으키고 있으며, 희뿌연 하늘을 바라볼 수밖에 없는 한국인의 원성 또한 커지고 있다.

Q 韓国でも春になると花粉が飛ぶのか？

A 韓国で春はよく「万物が蘇生する季節」という慣用的な表現を使ったりもする。韓国も春になると花粉症に苦しむ人が次第に増えている。もちろん、国民4人に1人が花粉症で苦しんで国民病と呼ばれる日本と比べると、その数は非常に少ない。

　春になると韓国人をより苦しめる招かれざる客は「黄砂」だ。黄砂は主に春に中国やモンゴルの砂漠にある砂とほこりが上昇し、偏西風に乗って飛んで徐々に沈む現象をいうが、中国と隣接した韓国は毎年黄砂によって人体の健康だけでなく農業をはじめとする色々な産業分野で大きな被害を受けている。

　春に限定されたわけではないが、黄砂とともに最近韓国で社会問題にまで浮上したのが「微細粉塵（ミセモンジ）」だ。韓国ではPM10を「微細粉塵」、PM2.5を「超微細粉塵（チョミセモンジ）」と呼ぶ。韓国で微細粉塵はその発生原因から対策に至るまで数多くの論難を呼び起こしており、白い空を眺めるほかない韓国人の恨みも大きくなっている。

Q 장마는 있는가?

A 한국의 장마는 일반적으로 6월 하순 제주도부터 시작되어 점차 북상하고, 7월 말에는 끝난다. 최근에는 기온상승으로 기상 이상이 빈번하게 발생하면서 장마의 시작일과 종료일이 매우 불규칙해졌다. 장마로 인한 가장 큰 피해는 홍수이다. 한국에는 '가뭄 끝은 있어도, 장마 끝은 없다', '칠 년 가뭄에는 살아도 석 달 장마에는 못 산다'라는 속담이 있을 정도로 해마다 장마철 집중호우로 인한 홍수 및 산사태 피해가 발생하고 있다.

Q 태풍은 오는가?

A 한국에서 태풍은 주로 한여름에서 초가을인 7~9월에 자주 발생하며, 매년 서너 차례 한국에 직간접적인 영향을 준다. 한국인의 기억속에 오늘날까지도 남아 있는 최악의 태풍은 1959년에 발생한 태풍 '사라'이다. 이 태풍은 한국 최대의 명절인 '추석'에 한반도를 강타하여 사회에 큰 상처를 남겼다. 당시 사망 및 실종자가 849명, 이재민이 37만여 명에 이를 정도로 큰 피해를 끼쳤다. 이 태풍은 일본에도 직접적인 영향을 미쳤는데, 오키나와,

Q 梅雨はあるのか？

A 韓国の梅雨は一般的に6月下旬に済州道から始まり次第に北上し、7月末には終わる。最近は気温上昇で気象異常が頻繁に発生し、梅雨の開始日と終了日が非常に不規則になった。梅雨による最大の被害は洪水だ。韓国には「日照りの終わりはあっても梅雨の終わりはない」、「7年の日照りには生きても、3か月の梅雨には生きられない」ということわざがあるほど、毎年梅雨期の集中豪雨による洪水および土砂崩れ被害が発生している。

Q 台風は来るのか？

A 韓国で台風は主に真夏から初秋の7～9月によく発生し、毎年3、4回韓国に直接・間接的な影響を与える。韓国人の記憶の中に今日まで残っている最悪の台風は1959年に発生した台風「サラ」だ。この台風は韓国最大の祝日である「秋夕」に朝鮮半島を強打し、社会に大きな傷を残した。当時、死亡および行方不明者が849人、被災者が37万人余りに達するほど大きな被害を及ぼした。こ

규슈, 홋카이도 등에서 사망 및 실종자 99명의 인명 피해가 나왔다. 그중 오키나와 미야코섬의 피해가 매우 심각했으며, 이 때문에 일본에서는 '미야코섬 태풍'으로 불린다.

2000년대 들어서도 태풍 '루사', '매미', '차바' 등 위력적인 태풍으로 인해 특히 해안가 지역에 큰 피해를 미치고 있다. 최근에는 여름 태풍보다 가을 태풍의 위력이 더욱 강력하고 피해 또한 크다고 한다.

Q 지진은 있는가?

A 유라시아판 내부에 위치한 한국은 환태평양 지진대에 위치한 일본에 비해 상대적으로 지진이 덜 발생하여 그동안 지진 안전지대로 분류되어왔다. 하지만 소규모 지진은 매년 수십 차례씩 발생하고 있고, 특히 지난 2016년 경주에서 발생한 규모 5.8의 지진은 한국에서 지진 관측을 시작한 이후 가장 큰 규모의 지진이었다. 다만 한국은 지진으로 인한 피해 사례나 쓰나미 등의 발생은 거의 없는 편이다.

の台風は日本にも直接的な影響を及ぼしたが、沖縄、九州、北海道などで死亡および行方不明者99人の人命被害が出た。そのうち沖縄の宮古島の被害が非常に深刻で、このため日本では「宮古島台風」と呼ばれる。

　2000年代に入っても台風「ルーサー」、「メミ」、「チャバ」など威力的な台風によって特に海岸地域に大きな被害を及ぼしている。最近は夏の台風より秋の台風の威力がさらに強力で被害も大きいという。

発生順に1号、2号……と台風番号をつけて呼称する日本と異なり、韓国では台風の国際名を呼称としている。

Q 地震はあるのか？

A ユーラシアプレートの内部に位置する韓国は環太平洋地震帯に位置する日本に比べて相対的に地震が少なく、これまで地震安全地帯に分類されてきた。しかし、小規模地震は毎年数十回ずつ発生しており、特に2016年慶州で発生したM5.8の地震は韓国で地震観測を始めて以来最大規模の地震だった。ただ、韓国は地震による被害事例や津波などの発生はほとんどない。

Q 기후변화가 한국에 미치는 영향은?

A 사계절이 뚜렷했던 한국에서 '만물이 소생하는 계절' 봄과 '천고마비 (하늘은 높고 말은 살찐다) 의 계절' 가을은 점점 짧아지고 있다. 한국 또한 최근 지구온난화에 따른 기후변화로 인해 아열대성 기후로 변하는 조짐이 나타나고 있다. 여름에 기온이 섭씨 35도 이상으로 올라가기도 하며, 봄에도 진달래꽃과 개나리꽃이 피는 시기가 점차 앞당겨지고 있다. 지난 4~5년간 기상과 관련한 기록적인 사례들이 줄을 이었다. 여름철 폭염이 일상화되고 있으며, 강수 형태도 변화하고 있다. 과거 장마철에는 강우 전선의 영향으로 전국적으로 비가 내리는 게 보통이었으나 이제는 좁은 지역에 쏟아지는 국지성 폭우로 바뀌어가는 현상이 나타나고 있다. 겨울철에도 국지성 폭설이 나타나고 있다. 10여 년 전만 해도 겨울에는 사흘은 춥고 나흘은 따뜻한 날씨가 반복되는 '삼한사온' 현상이 보통이었지만, 지금은 이런 특징도 거의 사라지고 있다.

Q 気候変動が韓国に及ぼす影響は？

A 四季がはっきりしていた韓国で「万物が蘇生する季節」春と「天高馬肥（天高く馬肥ゆる）の季節」秋はますます短くなっている。韓国も最近、地球温暖化による気候変動によって亜熱帯性気候に変わる兆しが現れている。夏に気温が35℃以上に上がったり、春にもツツジの花とレンギョウの花が咲く時期が次第に早まっている。この4〜5年間、気象と関連した記録的な事例が相次いだ。夏場の猛暑が日常化しており、降水形態も変化している。かつて梅雨期には降雨前線の影響で全国的に雨が降るのが普通だったが、今は狭い地域に降り注ぐ局地性豪雨に変わっていく現象が現れている。冬季にも局地性大雪が現れている。10年前までは冬には3日は寒く、4日は暖かい天気が周期的に繰り返される「三寒四温」現象が普通だったが、今はこのような特徴もほとんど消えている。

한국인

Q 인구의 추이는?

A 2022년 현재 한국의 인구는 총 5,162만여 명으로, 2020년을 정점으로 점차 감소 추세에 있다. 이른바 '저출산, 고령화'는 한국에서도 이슈가 된 지 오래이다. 특히 한국의 낮은 출산율은 심각한 사회문제로 대두되고 있다. 2021년 합계출산율(여성 한 명이 가임기간에 낳을 것으로 기대되는 평균 출생아 수)은 0.81명, 출생아는 26만 500명으로 모두 사상 최저 수준이다.

과거의 한국은 '남아선호사상'이 뿌리 깊게 박혀 있어서, 아들을 낳기 위해 출산을 계속하는 사례가 많았다. 이로 인해 한국 정부는 산아제한정책을 시행했는데, '아들, 딸 구별 말고 둘만 낳아 잘 기르자', '잘 키운 딸 하나 열 아들 안 부럽다' 등의 표어가 이를 상징한다. 하지만 1990년대에 들어 정부의 출산 정책은 전면적으로 수정되어, 출산장려정책으로 급선회한다. 저출산 문제를 해결하기 위해 한국은 각 지자체별로 출산장려금 및 양육비 지원 정책을 펼치고 있다.

韓国人

Q 人口の推移は？

A　2022年現在、韓国の人口は計5,162万人余りで、2020年をピークに徐々に減少傾向にある。いわゆる「少子高齢化」は韓国でも話題になって久しい。特に、韓国の低い出生率は深刻な社会問題として台頭している。2021年の合計出生率（女性1人が可妊期間に産むと期待される平均出生児数）は0.81人、出生児は26万500人で、いずれも史上最低水準だ。

　過去の韓国は「男児選好思想」が根強く残っており、息子を産むために出産を続ける事例が多かった。これにより韓国政府は産児制限政策を施行したが、「息子、娘の区別なく二人だけ産んでよく育てよう」、「よく育てた娘一人、10人の息子も羨ましくない」等の標語がこれを象徴する。だが1990年代に入って政府の出産政策は全面的に修正され、出産奨励政策に急旋回する。少子化問題を解決するため、韓国は各自治体別に出産奨励金や養育費支援政策を展開している。

Q 한국인은 모두 같은 민족인가?

A 한국의 민족주의는 단군왕검이 건국한 고조선 이래 한반
도와 그 주변에서 공동 생활권을 형성하고 한국어를 사용하는 집
단을 혈연적 동일성을 지니고 이어진 한민족, 즉 단일민족으로 강
조해왔다. 하지만 오늘날의 한민족이라고 불리는 집단이 언제 어
떤 경로로 형성되었는지는 충분히 밝혀지지 않았다.

오히려 현재에는 '단일민족, 순수 혈통의 한국인'이라는 개념은
신화일 뿐이라는 주장이 더욱 설득력을 얻고 있다. 한국의 민족주
의는 과거 식민지 시기 일본의 통치에 저항하는 데 역할을 했고,
건국 및 산업화 과정에서 통치 수단으로 활용되어왔다. 하지만 지
금은 한국에 사는 사람이 곧 한국인이며 '인종, 종교, 문화 등의
차이'를 인정하므로써 '단일민족 신화'에서 벗어나자고 강조한다.

Q 韓国人はみんな同じ民族なのか？

A 韓国の民族主義は檀君王倹が建国した古朝鮮以
来、朝鮮半島とその周辺で共同生活圏を形成し、韓国語を
使う集団を血縁的同一性を持って続いた韓民族、すなわち
単一民族と強調してきた。しかし、今の韓民族と呼ばれる
集団がいつどのような経路で形成されたのかは十分に明ら
かにされていない。

　むしろ現在では「単一民族、純粋血統の韓国人」という
概念は神話に過ぎないという主張がより説得力を得てい
る。韓国の民族主義は、過去の植民地時代に日本の統治に
抵抗するのに役割を果たし、建国および産業化過程で統治
手段として活用されてきた。しかし、今は韓国に住む人が
すなわち韓国人であり、「人種、宗教、文化などの違い」
を認めることで、「単一民族神話」から脱しようと強調する。

Q 외국으로 이주한 한국인과 한국으로 이민 온 외국인 추이는?

A 한국인의 해외 이동은 19세기 말과 20세기 초반 중국과 러시아로 이주하면서 시작되었다. 20세기 중반 해방 이후에는 미국으로의 이주가 두드러진 가운데 유럽, 중동, 남미 등 세계 각국으로 한국인이 퍼져나갔다. 그 결과 세계 각국의 재외 한국인은 733만 명에 이른다. 통계에 따르면 미국 거주 한국인이 263만 명으로 가장 많으며, 중국(235만 명), 일본(82만 명) 등의 순서이다.

2010년까지는 인구의 순유출이 많았으나 2011년 이후 순유입이 많아졌다. 특히 2000년 이후 외국인의 입국이 크게 늘어나고 있다. 해마다 등락이 있지만 전체적으로는 증가 추세를 보이고 있다. 통계청 국제인구이동 통계에 따르면 한국에 입국한 외국인은 2010년 29만 3,000명, 2015년 37만 3,000명, 2019년 43만 8,000명이다. 외국인이 한국에 입국한 이유로는 단기 체류(34.5%), 취업(26%), 유학(14.9%), 재외 동포(12%) 순이다. 주요 순위에는 없지만 영주 및 결혼 이민 등으로 인한 입국자가 2019년에는 전년 대비 7.7% 증가했다.

Q 外国に移住した韓国人と韓国に移住した外国人の推移は？

A 韓国人の海外移動は19世紀末と20世紀初め、中国とロシアに移住して始まった。20世紀半ばの解放以後、米国への移住が著しい中、欧州、中東、南米など世界各国に韓国人が広がった。その結果、世界各国の在外韓国人は733万人にのぼる。統計によると、米国在住韓国人が263万人で最も多く、中国（235万人）、日本（82万人）の順だ。

2010年までは人口の純流出が多かったが、2011年以降純流入が多くなった。特に2000年以降、外国人の入国が大幅に増えている。毎年騰落があるが、全体的には増加傾向を見せている。統計庁の国際人口移動統計によると、韓国に入国した外国人は2010年に29万3,000人、2015年に37万3,000人、2019年に43万8,000人だ。外国人が韓国に入国した理由としては、短期滞在（34.5%）、就職（26%）、留学（14.9%）、在外韓国人（12%）の順だ。主要順位にはないが、永住、結婚移民などによる入国者が2019年には前年比で7.7%増加した。

Q 재일교포란 어떤 사람들인가?

A 한국은 격동의 근현대사를 겪으면서 한반도를 떠나 해외로 이주한 수많은 이민자들이 생겨났다. 그 가운데 대표적인 이민자들이 재미교포(미국), 재일교포(일본), 조선족(중국), 고려인(러시아 및 중앙아시아 국가들)이다.

재일교포, 즉 재일 한국인-조선인의 역사는 식민지 시기로 거슬러 올라간다. 이들은 유학 혹은 생계를 위해 일본으로 건너간 사람들로 경상도 출신도 많았지만 특히 제주도 출신의 이민자가 상당수를 차지했다. 한때 제주도민의 4분의 1이 일본으로 건너갔고, 오사카 재일교포의 60%가 제주도 출신이었다고 한다. 태평양 전쟁 시기에는 일본 내 노동력 부족을 메우기 위해 조선인 노동자들이 대거 일본으로 건너갔으며 이들이 오늘날까지 한일 양국 사이에서 첨예한 정치적 대립을 야기하고 있는 징용공들이다. 전쟁 중 거의 200만 명에 달했던 재일 조선인들은 전쟁이 끝난 후 대부분 한국 혹은 북한으로 귀국을 선택했지만, 한반도의 불안한 정치 상황 및 경제 문제로 인해 일본에 남거나 되돌아오는 사람도 많았고 이들이 재일교포 1세대를 형성했다.

Q 在日韓国人とはどのような人たちか？

A 韓国は激動の近現代史を経験し、朝鮮半島を離れて海外に移住した数多くの移民者が生まれた。その中で代表的な移民者が在米韓国人（米国）、在日韓国人（日本）、朝鮮族（中国）、高麗人（ロシアおよび中央アジア諸国）だ。

在日、すなわち在日韓国人・朝鮮人の歴史は植民地時代にさかのぼる。彼らは留学または生計のために日本に渡った人々で慶尚道出身も多かったが、特に済州道出身の移民者が相当数を占めた。一時、済州道民の4分の1が日本に渡り、大阪在日の60%が済州道出身だったという。太平洋戦争期には日本国内の労働力不足を埋めるために朝鮮人労働者が大挙日本に渡り、彼らが今日まで日韓両国の間で尖鋭な政治的対立を引き起こしている徴用工たちだ。戦争中、ほぼ200万人に達した在日朝鮮人たちは、戦争が終わった後、大半が韓国または北朝鮮への帰国を選択したが、朝鮮半島の不安定な政治状況や経済問題によって日本に残ったり戻ってくる人も多く、彼らが在日1世を形成した。

Q 북한 사람들에 대한 인식은?

A 한국 헌법은 "대한민국의 영토는 한반도와 그 부속도서로 한다" 라는 영토 조항을 가지고 있고, 이를 근거로 법적으로 북한 지역 사람들 또한 한국 국민으로 간주한다. 하지만 이러한 정부의 공식 입장과는 별개로, 분단된 지 70년이 넘은 지금에 이르러 한국 사회의 인식은 북한 사람을 한국인으로 생각하는 경향이 점점 옅어지고 있다. 한국에서는 북한 사람에 대해 주로 '북한 주민', '북한 동포'라는 표현을 쓰고 있으며, 한국인인가의 여부를 떠나 '한민족', '한겨레' 등의 표현을 통해 같은 민족으로 생각하고 있다.

한편 탈북자 수는 2000년대 이후에 지속적으로 증가하여 2003~2011년에는 연간 입국 인원이 2,000~3,000명 수준에 이르렀으나, 2012년 이후 연간 평균 1,300명대로 감소했고 2021년에는 63명이 입국했다. 현재 한국에 정착한 탈북자 수는 총 3만 3,815명에 이른다.

Q 北朝鮮の人々に対する認識は？

A 韓国憲法は「大韓民国の領土は韓半島とその付属
島嶼とする」という領土条項を持っており、これを根拠に
法的に北朝鮮地域の人々も韓国の国民と見なす。しかし、
このような政府の公式立場とは別に分断されて70年が過
ぎた今になって、韓国社会の認識は北朝鮮人を韓国人と考
える傾向がますます薄くなっている。韓国では北朝鮮人に
対して主に「北朝鮮住民」、「北朝鮮同胞」という表現を使っ
ており、韓国人かどうかは別に「韓民族」、「ハンギョレ（一
つの民族）」などの表現を通じて同じ民族だと考えている。

一方、脱北者数は2000年代以降持続的に増加し、2003
〜2011年には年間入国人員が2,000〜3,000人水準に達し
たが、2012年以降は年間平均1,300人台に減少し、2021
年には63人が入国した。現在、韓国に定着した脱北者数
は計3万3,815人に達する。

Q 한국인이 사용하는 언어 및 문자는?

A 한국은 한국어 또는 한국말이라는 고유어를 쓰고 있으며, 북한에서는 이를 조선어 또는 조선말이라고 부른다. 한국어의 계통은 터키어, 몽골어, 카자흐어 등과 같은 알타이어족에 속한다고 보는 학설이 주류이다.

문자는 조선시대 세종대왕(1397~1450)이 한국어를 표기하기 위해 창제한 고유 문자인 '한글'을 공식 사용한다. 한글이 만들어지기 이전에 한국인이 글을 써 나타낼 때는 중국 문자인 한자를 빌려 썼다. 신분 높은 양반들은 마음대로 한자를 구사할 수 있었지만 보통 사람들이 한자를 외우는 데는 많은 시간이 걸려 어려웠다. 이를 안타깝게 여긴 세종대왕은 당시 학자들과 함께 보통 사람들도 쉽게 외워 쓸 수 있는 글씨를 만들어 시범 사용한 뒤 1446년 '훈민정음'을 세상에 공표했다. 처음에는 17개의 자음 자모와 11개의 모음 자모가 만들어졌으나 현재는 14개의 자음, 10개의 모음을 조합하여 쓰고 있다.

1980년대까지만 해도 도서 및 신문 등에 '국한문혼용'이 주류였으나, 2000년대 이후 점차 '한글전용'으로 전환되었다.

ソウルにある世宗大王の銅像には、ハングルで「世宗大王」と記されている。

Q 韓国人が使う言語および文字は？

A 　韓国は韓国語または韓国言葉という固有語を使っており、北朝鮮ではこれを朝鮮語または朝鮮言葉と呼ぶ。韓国語の系統はトルコ語、モンゴル語、カザフ語などのアルタイ語族に属すると見る学説が主流だ。

　文字は朝鮮時代の世宗大王（1397～1450）が韓国語を表記するために創製した固有文字である「ハングル」を公式に使用する。ハングルが作られる前に韓国人が文章を書いて表すときは、中国文字の漢字を借りて書いた。身分の高い両班たちは自由に漢字を駆使することができたが、普通の人々が漢字を覚えるには多くの時間がかかり難しかった。これを残念に思った世宗大王は当時、学者たちと一緒に普通の人々も簡単に覚えられる字を作って試験使用した後、1446 年に「訓民正音[*]」として世の中に公表した。最初は 17 個の子音字母と 11 個の母音字母が作られたが、現在は 14 個の子音、10 個の母音を組み合わせて使っている。 ＊☞ p.291

　1980 年代までは図書および新聞などで「ハングルと漢字の混用」が主流だったが、2000 年代以後は次第に「ハングル専用」に転換された。

Q 한반도? 조선반도?

A 한국과 북한은 약 80년 가까이 분단된 만큼 언어상의 특징도 조금 다른 점이 있다. 하지만 서로 의사소통에는 전혀 문제가 없으며 몇 가지를 빼고서는 거의 언어와 문법이 일치한다. 한국 내에서도 지방에 따라 사투리가 있듯이, 한국인은 북한 지방의 언어를 사투리로 인식하고 있다.

한국과 북한 간에 명칭이 서로 다른 대표적인 단어가 '한'과 '조선'이다. 한국은 1950년대 이후 '조선'이라는 명칭을 버리고 '한'을 사용하기 시작했다. 따라서 '한국 / 조선', '한반도 / 조선반도', '한국어 / 조선어', '한국인 / 조선인', '한국전쟁 / 조선전쟁', 등의 명칭만 다를 뿐 의미는 같은 단어가 생겨났다.

일본은 예전부터 사용하던 '조선'이라는 명칭을 현재도 주로 사용하고 있다. 하지만 '조선'이라는 명칭은 식민지 시대 또는 북한을 연상시키기에 이에 대해 반감을 갖고 있는 한국인 또한 많은 것도 사실이다. 일례로 NHK에서는 '조선어 강좌'를 '한글 강좌'로 변경하기도 했다. 한국인을 만났을 때 '치마저고리'보다는 '한복', '조선반도'보다는 '한반도'라고 얘기해보자. 그들에게 더욱 친근하게 다가갈 수 있을 것이다.

Q 韓半島？　朝鮮半島？

A　韓国と北朝鮮は約 80 年近く分断されただけに、言語上の特徴も少し違いがある。しかし、お互いの意思疎通には全く問題がなく、いくつかを除けばほとんど言語と文法が一致する。韓国内でも地方によって方言があるように、韓国人は北朝鮮地方の言語を方言と認識している。

　韓国と北朝鮮の間で名称が異なる代表的な単語が「韓」と「朝鮮」だ。韓国は 1950 年代以降、「朝鮮」という名称を捨てて「韓」を使い始めた。したがって「韓国 / 朝鮮」、「韓半島 / 朝鮮半島」、「韓国語 / 朝鮮語」、「韓国人 / 朝鮮人」、「韓国戦争 / 朝鮮戦争」などの名称が異なるだけで、意味は同じ単語が生まれた。

　日本は昔から使われていた「朝鮮」という名称を現在も主に使用している。しかし、「朝鮮」という名称は植民地時代または北朝鮮を連想させるとして反感を持っている韓国人も多いのが事実だ。一例として NHK では「朝鮮語講座」を「ハングル講座」に変更した。韓国人に会ったとき、「チマチョゴリ」よりは「韓服」、「朝鮮半島」よりは「韓半島」と話してみよう。彼らにもっと身近に接することができるだろう。

「チマ」は巻きスカートを表すため、「チマチョゴリ」は厳密には女性用の装いのみを指す。日本による併合以前の朝鮮では使用されていたが、独立後の韓国は「朝鮮」と同じく「チマチョゴリ」という言葉も使わなくなった。

Q 한국 성씨의 유래는?

A 한국의 성씨는 중국에서 유래한 것으로, 2015년 조사에 따르면 귀화한 외국인의 성씨를 포함하여 한국에는 총 5,582개의 성씨가 있는 것으로 나타났다. 하지만 그중에 '김, 이, 박, 최, 정'의 다섯 성씨가 전체 인구의 과반수를 차지한다. 구체적으로는 김(21.6%), 이(14.8%), 박(8.5%), 최(4.7%), 정(4.4%)의 순이며, 말하자면 한국인 다섯 명 가운데 한 사람은 '김씨'이다.

한국은 성씨마다 '본관'을 갖고 있으며, 본관은 지역(땅)과 연계해 있다. 따라서 같은 성씨더라도 본관이 다르면 같은 혈족으로 보지 않는다. 예를 들어, 같은 김씨더라도 '김해 김씨'와 '경주 김씨'는 본관이 다르기에 서로 다른 혈족이다. 지금은 폐지되었지만, 한국은 1990년대까지만 해도 유교 사상에서 유래한 '동성동본 결혼 금지' 조항이 있었는데, 여기서 동성동본이란 성씨와 본관이 같은 것을 말한다. 따라서 같은 '김해 김씨'끼리는 전혀 생면부지의 사람이더라도 결혼이 금지되었다.

한국의 성씨는 부계 혈통의 표시로서 아버지의 성을 따르고, 결혼해도 평생 바뀌는 일이 없었다. 하지만 시대가 변함에 따라 부모의 성씨를 함께 쓰는 사람도 있고, 어머니의 성을 따르는 것도 가능해졌다. 한자로 표기할 수 없는 한글 성씨, 귀화한 외국인들이 새로 만든 성씨도 늘고 있다.

Q 韓国の名字の由来は？

A 韓国の名字（姓氏）は中国から由来したもので、2015 年の調査によると帰化した外国人の名字を含め、韓国には計 5,582 個の名字があることが分かった。だが、その中で「金、李、朴、崔、鄭」の 5 つの名字が全人口の過半数を占める。具体的には金(21.6%)、李(14.8%)、朴(8.5%)、崔（4.7%)、鄭（4.4%）の順で、いわば韓国人の 5 人に 1 人は「金氏」だ。

　韓国は名字ごとに「本貫」を持っており、本貫は地域（土地）と連携している。したがって、同じ名字でも本貫が違えば、同じ血族とはみなさない。例えば、同じ金氏であっても「金海金氏」と「慶州金氏」は本貫が違うので互いに異なる血族だ。今は廃止されたが、韓国は 1990 年代までは儒教思想から由来した「同姓同本の結婚禁止」条項があったが、ここで同姓同本というのは名字と本貫が同じものをいう。したがって、同じ「金海金氏」同士は全く見ず知らずの人でも結婚が禁止された。

　韓国の名字は父系血統の表示として父の姓に従い、結婚しても一生変わることがなかった。しかし、時代の移り変わりに伴って、両親の名字を一緒に使う人もいれば、母親の名字に従うことも可能になった。漢字で表記できないハングルの名字、帰化した外国人が新しく作った名字も増えている。

Q 한국에서 상대방에 대한 호칭은?

A 한국은 유교 사상에서 유래한 '장유유서'라는 관념이 뿌리 깊어서, 윗사람에 대한 존댓말이나 호칭이 꽤 까다로운 나라이다. 더불어 사회적 관계에 따라서도 상대방을 부르는 호칭에 주의해야 한다.

가령, 윗사람을 부를 때는 이름 대신 직책을 부르는 게 일반적이며 직책 뒤에는 '님'을 붙인다(사장님, 선생님). 이름을 부를 일이 있으면 성씨와 직책 또는 성씨, 이름, 직책을 함께 부른다(김사장님, 김철수 선생님).

일본어 '상(さん)'에 대응한다고 여겨져 왔던 한국어 '씨'의 사용은 특히 주의를 요한다. '씨'는 원래 높임의 의미였지만, 현재는 동료나 부하직원을 부르는 호칭으로 인식되고 있다. 이 호칭을 쓸 때에는 성과 이름을 붙여 함께 쓰거나, 좀 더 친한 사이라면 이름 뒤에 붙여 쓸 수 있다(김철수 씨, 철수 씨). 성씨 뒤에 '씨'를 붙여 사용하면(김 씨), 오히려 하대의 의미가 될 수 있으니 주의해야 한다.

붙여야 할 마땅한 직책이 없다면, 성, 이름과 함께 또는 이름 뒤에 '님'을 붙이는 것이 가장 무난하다(김철수 님, 철수 님). 불특정 손님이 많이 방문하는 은행이나 병원 등에서 손님을 부를 때

Q 韓国での相手に対する呼称は？

A 韓国は儒教思想に由来する「長幼有序（年長者と年少者の間には社会的・道徳的な順序がある）」という観念が根強く、目上の人に対する尊敬語や呼称がかなり難しい国だ。さらに、社会的関係によっても相手を呼ぶ呼称に注意しなければならない。

たとえば、目上の人を呼ぶときは名前の代わりに職位を呼ぶのが一般的で、職位の後ろには「ニム（日本のさんまたは様に当たる）」をつける（社長ニム、先生ニム）。名前を呼ぶことがあれば、名字と職位または名字、名、職位を一緒に呼ぶ（金社長ニム、金チョルス先生ニム）。

日本語の「さん」に対応するとされてきた韓国語「氏」の使用は特に注意が必要である。「氏」は本来尊敬の意味だったが、現在は同僚や部下を呼ぶ呼称と認識されている。この呼称を使うときは名字と名を付けて一緒に使うか、もっと親しい間柄なら名の後ろに付けて使うことができる（金チョルス氏、チョルス氏）。名字の後ろに「氏」をつけて使えば（金氏）、むしろ目下の意味になりうるので注意しなければならない。

付けるべき適当な職位がなければ、名字と名とともに、または名の後ろに「ニム」をつけるのが一番無難だ（金チョルスニム、チョルスニム）。不特定のお客さんが多く訪れ

주로 이 호칭을 사용한다.

Q 한국의 나이 세는 법은?

A 한국인은 두 개의 나이가 있다. 한국 나이로 알려진 세는 나이와 만 나이가 그것이다. 한국인은 태어나자마자 한 살이 된다. 그리고 새해가 되면 한 살을 더 먹는다. 이런 계산법을 한국 나이라고 한다. 예를 들어, 12월 31일에 태어난 아이는 바로 다음날 두 살이 되는 것이다. 한국 나이의 유래에 대해서는 명확하게 알려져 있지 않으나 중국, 일본 등 아시아 국가들도 과거에는 이와 같은 세는 나이를 썼다고 한다. 유력한 설은 아이가 엄마 뱃속에 생겼을 때부터가 생명의 시작이라고 보고, 임신 10개월이기 때문에 태어났을 때 벌써 1년 정도까지 산 것이라고 생각했다는 것이다.

한편, 만 나이는 태어난 날을 기준으로 하는 나이이다. 태어나면 0살, 1년 후 생일에 1살이 된다. 이 연령은 공식적인 행정 등에 사용되지만 민간에서는 여전히 한국 나이가 일상적으로 사용되고 있다. 이와 같이 두 연령의 병용은 여러 가지 오류를 초래하기도 한다. 그럼에도 불구하고 한국인들은 한국 나이를 유지하기를 바라는 의견이 많다.

그 이유는 한국문화에서는 나이가 대인관계에서의 행동양식을

る銀行や病院などでお客さんを呼ぶとき、主にこの呼称を
使う。

Q 韓国の年齢の数え方は？

A 韓国人は2つの年齢がある。韓国の年齢で知られ
ている数え年と満年齢がそれだ。韓国人は生まれてすぐ1
歳になる。そして新年になると1歳年を取る。このような
計算法を韓国の年齢という。例えば、12月31日に生まれ
た子どもは翌日2歳になるのだ。韓国の年齢の由来につい
ては明確に知られていないが、中国、日本などアジア諸国
も過去にはこのような数え年を使ったという。有力な説は、
子どもが母親のお腹の中にできたときからが生命の始まり
だと見て、妊娠10か月なので生まれたとき、すでに1年
程度まで生きたと考えたということだ。

　一方、満年齢は生まれた日を基準とする年齢である。生
まれたら0歳、1年後の誕生日に1歳になる。この年齢は
公式的な行政などに使われるが、民間では依然として韓国
の年齢が日常的に使われている。このように2つの年齢の
併用は様々な誤解を招くこともある。それにもかかわらず、
韓国人は韓国の年齢を維持することを望む意見が多い。

　その理由は、韓国文化では年齢が対人関係での行動様

규정해주는 경우가 많기 때문이다. 한국인은 나이로 관계를 맺는다. 처음 누군가를 만나면 첫인사와 함께 서로의 나이를 묻는다. 그리고 나이에 따라 위와 아래의 관계가 성립하는 것이다.

Q 한국의 성년 연령은?

A 앞에서 한국인은 두 개의 나이를 갖고 있다고 말했지만, 실은 좀 더 구체적으로는 세 개의 나이가 있다. 앞서 설명한 한국 나이(세는 나이)와 만 나이 외에 '연 나이'라는 것이 있는데, 태어났을 때는 0살이었다가 다음해 새해가 되면 1살이 된다. 이 나이 계산법은 '청소년보호법', '병역법' 등에서 사용된다.

민법상 한국의 성년 연령은 만 19세 이상이다. 하지만 청소년의 술, 담배를 금지하고 있는 '청소년보호법'에 따르면 연 나이 18세 미만을 청소년으로 본다. 따라서 한국 나이 20세, 연 나이 19세, 만 나이 18세인 대학생은 청소년이 아니기에 술, 담배는 할 수 있지만, 동시에 성년 또한 아니기에 성인 영화 관람이나 성인용 게임은 할 수 없다. 한편, 만 18세 이상의 남녀는 미성년이지만 부모 및 후견인의 동의를 얻어 결혼할 수 있다.

이처럼 민간과 행정, 또 법에 따라 복잡하게 얽혀 있는 나이 기

式を規定する場合が多いためだ。韓国人は年齢で関係を結ぶ。初めて誰かに会うと、最初の挨拶とともにお互いの年齢を尋ねる。そして年齢によって上と下の関係が成立するのだ。

Q 韓国の成人年齢は？

A 先に韓国人は2つの年齢があると言ったが、実はもう少し具体的には3つの年齢がある。先に説明した韓国の年齢（数え年）と満年齢の他に「年年齢」というものがあるが、生まれたときは0歳だが翌年になると1歳になる。この年の計算法は「青少年保護法」、「兵役法」などで使われる。

　民法上、韓国の成人年齢は満19歳以上だ。しかし、青少年の酒、タバコを禁止している「青少年保護法」によると、年年齢18歳未満を青少年とみなす。したがって、韓国の年齢20歳、年年齢19歳、満年齢18歳の大学生は青少年ではないので酒、タバコは認められるが、同時に成人でもないので成人映画の観覧や成人向けゲームはできない。一方、満18歳以上の男女は未成年だが、両親や後見人の同意を得て結婚することができる。

　このように民間と行政、また法により複雑に絡み合って

준으로 인해, 새로 출범한 윤석열 정부에서는 국제적 기준에 맞게 '만 나이'로 통일하는 정책을 추진하고 있다. 이제 한국에서도 '한국 나이'가 사라질 것으로 보인다.

いる年齢基準により、新しくスタートした尹錫悦政府では国際的基準に合わせて「満年齢」で統一する政策を推進している。今や韓国でも「韓国の年齢」が消えるものと見られる。

＊「2020年12月30日」生まれの人を３つの年齢で表すと……

韓国の年齢（数え年）：2020年12月30日で１歳、2021年１月１日に２歳になる。

満年齢：2020年12月30日で０歳、2021年12月30日に１歳、2022年12月30日に２歳になる。

年年齢：2020年12月30日で０歳、2021年１月１日に１歳、2022年１月１日に２歳になる。

지역성

Q 한국에도 일본의 도도부현과 같은 행정구역이 있는가?

A 일본의 도도부현에 해당하는 광역자치단체로, 한국은 1개의 특별시, 6개의 광역시, 8개의 도, 1개의 특별자치도, 1개의 특별자치시 등 총 17개가 있다. 1개의 특별시는 서울이며 한국의 수도이다. 6개의 광역시는 부산, 대구, 인천, 광주, 대전, 울산으로 각 지방의 대도시들이다. 8개의 도는 경기도, 강원도, 충청북도, 충청남도, 전라북도, 전라남도, 경상북도, 경상남도이며, 제주도는 특별자치도이다. 제주도만 특별자치도로 지정한 것은, 행정 규제의 완화 및 국제적 기준의 도입으로 외국의 관광객, 투자자, 이민자를 유치하고 자유로운 기업 활동을 보장하기 위한 다양한 정책을 마련하기 위함이다. 그 밖에 한국의 행정 수도 기능을 하는 세종특별자치시가 있다.

地域性

Q 韓国にも日本の都道府県と同じような行政区域があるのか？

A 日本の都道府県に該当する広域自治体で、韓国は
1つの特別市、6つの広域市、8つの道、1つの特別自治道、
1つの特別自治市など計17がある。1つの特別市はソウル
であり、韓国の首都である。6つの広域市は釜山、大邱、
仁川、光州、大田、蔚山で各地方の大都市だ。8つの道は
京畿道、江原道、忠清北道、忠清南道、全羅北道、全羅南道、
慶尚北道、慶尚南道であり、済州道は特別自治道だ。済州
道だけを特別自治道に指定したのは、行政規制の緩和およ
び国際的基準の導入で外国の観光客、投資家、移民者を誘
致し自由な企業活動を保障するための多様な政策を用意す
るためだ。その他、韓国の行政首都の機能を持つ世宗特別
自治市がある。

Q 한국에도 ○○지방 같은 구분이 있는가?

A 한국은 행정구역에 따른 구분과 별개로 옛날부터 전통적으로 지역을 구분하는 명칭이 있다. 지방을 지칭하는 명칭은 태백산맥이나 임진강 등의 자연지형이 나누는 지역의 생활권에 따라 관북, 관서 지방 등으로 표현하며, 관동 지방의 경우는 태백산맥을 기준으로 영동과 영서로 나누기도 한다. 이러한 명칭은 오랜 시간을 통해 정착되었으므로, 일정한 사회적인 규약처럼 굳어져 그대로 사용되고 있다. 특히 일기예보 등에서는 여전히 이러한 전통적인 지역 구분 명칭을 쓰고 있다. 대체로 경상남북도는 영남, 전라남북도는 호남 지방으로 불린다.

Q 지역감정은 있는가?

A 한국의 지역감정은 '종교', '민족' 등의 요소가 얽힌 나라에 비해서는 나은 편이지만, 무시할 수 있는 수준은 아니다. 조선시대에는 평안도(오늘날 북한의 평양 일대) 출신은 중요 관직에 임용하지 않는 등의 지역 차별이 존재했고, 해방 후에는 경상도(영남)와 전라도(호남), 즉 영호남 간의 지역감정이 대표적이다.

Q 韓国にも〇〇地方という区分が あるのか？

A 韓国は行政区域による区分とは別に昔から伝統的に地域を区分する名称がある。地方を指す名称は太白山脈や臨津江*などの自然地形が分ける地域の生活圏によって関北、関西地方などと表現し、関東地方の場合は太白山脈を基準に嶺東と嶺西に分けることもある。このような名称は長い時間を通じて定着したため、一定の社会的な規約のように固まってそのまま使われている。特に天気予報などでは依然としてこのような伝統的な地域区分名称を使っている。概して慶尚南北道は嶺南、全羅南北道は湖南地方と呼ばれる。

＊日本では「イムジン河」として知られる。

Q 地域感情はあるのか？

A 韓国の地域感情は「宗教」、「民族」などの要素が絡んだ国に比べると良い方だが、無視できる水準ではない。朝鮮時代には 平安道（今の北朝鮮の平壌一帯）出身は重要官職に任用しないなどの地域差別が存在し、解放後には 慶尚道（嶺南）と 全羅道（湖南）、すなわち嶺湖南間の

영호남 간의 지역감정은 1960~1970년대에 걸쳐 장기집권했던 박정희 정권이 그에 대항하는 야당 세력을 분산시키기 위해 정치적으로 악용했다는 주장이 유력하다. 이는 박정희 정권의 반대파 가운데 영남을 지지 기반으로 한 김영삼 세력과 호남을 지지 기반으로 한 김대중 세력을 분열시키기 위한 것이었다는 주장이다. 이러한 정치권의 부추김 및 두 세력 간의 경쟁으로 인한 지역감정은 박정희 정권 이후에도 고착화되어, 정치적, 사회적, 문화적으로 심각한 부작용을 낳았다. 1990년대 이후 다소 완화되었던 영호남 간의 지역감정은 2010년대 들어 온라인상에서 젊은 세대를 중심으로 다시 불 붙기 시작하며 여전히 논란이 되고 있다.

Q 인기 있는 도시와 지역은 어디인가?

A '서울공화국'이라는 용어가 있다. 이는 한국의 정치, 경제, 사회, 문화 등 모든 분야에 걸쳐 대부분의 역량이 서울특별시(수도권)에 집중되는 현상을 나타낸 말이다. 현재 한국 전체 인구의 약 절반 가까이가 서울과 수도권에 거주하고 있다. 이러한 수도권 집중 현상은 부동산 가격 상승의 주요한 원인이며, 수도권과 지방 간의 격차는 심각한 사회 문제로 대두되고 있다. 서울에서도 특

地域感情が代表的だ。

　嶺湖南間の地域感情は、1960〜1970年代にわたって長期政権を握った朴正煕政権が、それに対抗する野党勢力を分散させるために政治的に悪用したという主張が有力だ。これは朴正煕政権の反対派のうち、嶺南を支持基盤とした金泳三勢力と湖南を支持基盤とした金大中勢力を分裂させるためのものだったという主張だ。このような政界の煽りと両勢力間の競争による地域感情は、朴正煕政権の後も固着化し、政治的、社会的、文化的に深刻な副作用を生んだ。1990年代以後、多少緩和された慶尚道・全羅道間の地域感情は2010年代に入ってオンライン上で若い世代を中心に再び火がつき始め、依然として論難になっている。

Q 人気のある都市と地域はどこか？

A　「ソウル共和国」という用語がある。これは韓国の政治、経済、社会、文化などすべての分野にわたって大部分の力量がソウル特別市（首都圏）に集中する現象を表した言葉だ。現在、韓国全体人口の約半分近くがソウルと首都圏に居住している。このような首都圏集中現象は不動産価格上昇の主な原因であり、首都圏と地方間の格差は深

히 강남 지역은 한국 상류층이 집중되어 있는 지역으로 유명하다.

Q 서울과 부산은 일본의 도쿄와 오사카?

A 한국의 서울과 부산은 흔히 일본의 도쿄와 오사카로 비유되곤 한다. 서울은 한국 최대 도시이자 조선시대 이래 수백년 간 수도로서, 현재는 지방에서 상경한 사람들이 더 많이 살고 있다. 하지만 대대로 서울에서 살아온 서울 토박이들은 지방과는 다른 그들만의 기질을 갖고 있다고 말한다. 지방 사람들은 서울 사람을 일컬어 '서울 깍쟁이'라고 부르곤 하는데, 이는 대도시 출신답게 차갑고 도도하며, 인정이 없고 계산이 분명한 서울 사람들을 희화화한 말이다.

이에 반해 제2의 도시인 부산에는 항구 도시 특유의 거칠고 목소리가 크며 활달한 기질의 사람들이 많다. '부산 머스마, 가시나'는 부산 출신의 남녀를 일컫는 사투리로, 이들이 서울의 지하철 안에서 부산 사투리로 평범한 대화를 나누더라도 주위의 서울 사람들은 서로 다투는 것으로 오해하고 쳐다보고는 한다. 한국어를 배워서 사용할 수 있는 일본인이더라도 부산 '자

チャガルチ市場のアジメ（おばさん）

刻な社会問題として台頭している。ソウルでも特に江南地域は韓国の上流層が集中している地域として有名だ。

Q ソウルと釜山は日本の東京と大阪？

A 韓国のソウルと釜山はよく日本の東京と大阪に例えられる。ソウルは韓国最大の都市であり朝鮮時代から数百年間の首都として、現在は地方から上京した人々がより多く住んでいる。しかし、代々ソウルに住んできたソウルっ子たちは、地方とは違う彼らだけの気質を持っているという。地方の人々はソウル人を指して「ソウルのカッジェンイ*」と呼ぶことがあるが、これは大都市出身らしく冷たくて高慢で、人情がなく計算高いソウルの人々を戯画化した言葉だ。

*깍쟁이とはケチで抜け目ない人、小賢しい人を指す。

これに対し、第2の都市である釜山には港町特有の荒くて声が大きく、活発な気質の人が多い。「釜山モスマ、カシナ*」は釜山出身の男女を指す方言で、彼らがソウルの地下鉄の中で釜山方言で平凡な対話を交わしても周囲のソウルの人々は互いに争っていると誤解して眺めている。韓国語を習って使える日本人でも、釜山の「チャガルチ市場のアジメ」たちの会話を聞いてみると、また別の外国語のように聞こえるかもしれない。これは東京と大阪の人々の

*머스마は男子、가시나は女子を表す方言。

갈치 시장 아지매'들의 대화를 들어보면 또 다른 외국어처럼 들릴지도 모른다. 도쿄와 오사카 사람들의 기질과 비유할 만한가?

Q 지역마다 축제가 있는가?

A 한국은 일본과 비교하면 오랜 역사와 전통을 가진 지역 특색의 축제를 찾기 어렵다. 막부와 번 체제였던 일본과 달리 한국은 오랜 기간 중앙집권체제로서 각 지방은 서울과 긴밀히 연결되어 있었기 때문으로 보인다. 조선시대에는 설날, 단오, 칠석, 추석 등 전국 단위의 전통적인 명절에 마을마다 잔치가 열리곤 했다. 오히려 최근에 들어 각 지역의 특산물 및 특색에 맞춰 현대화된 새로운 축제들이 많이 생겨났다. 대표적으로 청도 소싸움 축제, 보성 녹차 축제, 강릉 단오제, 진해 벚꽃 축제, 안동 탈춤 축제, 보령 머드 축제 등이 있다.

清道闘牛祭り

気質に例えられるか？

Q 地域ごとにお祭りがあるのか？

A 　韓国は日本と比べると、長い歴史と伝統を持つ地
域特色の祭りを見つけるのは難しい。幕府と藩体制だった
日本とは異なり、韓国は長い間中央集権体制として各地方
はソウルと緊密につながっていたためと見られる。朝鮮時
代には正月、端午、七夕、秋夕など全国単位の伝統的な名
節に村ごとに祭りが開かれたりもした。むしろ最近になっ
て各地域の特産物や特色に合わせて現代化された新しい祭
りが多くできた。代表的なものに清道闘牛祭り、宝城緑茶
祭り、江陵端午祭り、鎮海桜祭り、安東仮面踊り祭り、保
寧マッド（泥）祭りなどがある。

教えてキムさん！ もっと気になる韓国の なぜ？ なに？

キムさん。あっ、そういえば日本語だと名字にさんをつけて「キムさん」と呼びますが、韓国語ではどのように呼べばよいのでしょうか？　年下の私が呼ぶときは気をつけないといけないですよね？

김 씨. 아, 그리고 보니 일본어로는 성에 씨를 붙여 '김 씨'라고 부르는데, 한국어로는 어떻게 부르면 좋을까요? 나이가 어린 제가 부를 때는 조심해야겠죠?

そうですね。日本では名前を呼ぶことも多いですが、韓国では社会生活で名前を呼ぶことはほとんどありません。例えば、キム先生、キム課長、キム部長、のように職位を呼ぶのが一般的です。職位がなければ、私の方が先輩なので「キム先輩」と呼んでください、ナオミさん。

그렇죠. 일본에서는 이름을 부르는 경우도 많지만 한국에서는 사회생활에서 이름을 부르는 경우가 거의 없습니다. 예를 들면 김 선생님, 김 과장님, 김 부장님 이렇게 직위를 부르는 것이 일반적입니다. 직위가 없으면, 제가 선배니까 '김 선배님'이라고 불러주세요, 나오미 씨.

わかりました、キム先輩！　先輩が韓国語を学ぶ日本人に「キムさん」と呼ばれたら少し戸惑うのではないでしょうか？

알겠습니다, 김 선배님! 선배님이 한국어를 배우는 일본인에게 '김 씨'라고 불리면 조금 당황스럽지 않을까요?

そうですね……。日本人にそう呼ばれたら戸惑うと思います。韓国語で「キムさん」と言えば、目下の人に対する呼び方になってしまいますからね。

그렇네요……. 일본인에게 그렇게 불린다면 당황할 것 같습니다. 한국어로 '김 씨'라고 하면 아랫사람에 대한 호칭이 되어버리니까요.

ナオミ　キムさん

上下関係を重んじる韓国の人ならではですね。初対面で年齢や生まれ年を聞かれたら、私なら少し戸惑ってしまいます。そういえば、最近韓国では年齢と一緒に「MBTI*」を聞かれるそうですね？

상하관계를 중요시하는 한국사람들이라면 그럴 것 같네요. 초면에 나이나 태어난 해를 물으면 저라면 조금 당황할 것 같습니다. 그러고 보니 요즘 한국에서는 나이와 함께 'MBTI'를 묻는다면서요?

* 「Myers-Briggs Type Indicator」の略称で、スイスの心理学者ユングの「タイプ論」をベースにしたアメリカ発の自己申告型診断テスト。個人がどう世界を認識し、物事への決定を下すかについて 4 つの指標と 16 パターンで性格を分類する。

そうです。以前は日本由来の血液型による性格や相性占いが主流だったので血液型を聞かれることが多かったですが、最近はMBTI の方がより科学的だということで、今の 10～30 代の若者を中心に主流になっています。

그렇습니다. 이전에는 일본에서 유래한 혈액형에 따른 성격이나 궁합이 주류였기 때문에 혈액형을 묻는 경우가 많았지만 요즘에는 MBTI가 더 과학적이라고 해서 지금의 10~30대 젊은이들을 중심으로 주류가 되고 있습니다.

そうなんですね。K-POP アイドルもよく話題にしていたので、私も流行りに乗って診断を受けてみたら「INFJ」でした。キム先輩は受けてみましたか？

그렇군요. K-POP 아이돌도 많은 화제여서 저도 유행을 타고 검사를 해보니 'INFJ'였어요. 김 선배님은 해보셨나요?

ナオミさんの結果は当てはまっているような気がします。私は受けてみたことはありませんが、診断しなくても自分の性格は自分が一番よくわかっているでしょう？

나오미 씨의 결과는 적중한 것 같습니다. 저는 해본 적은 없지만 검사하지 않아도 자기 성격은 자기가 가장 잘 알고 있지 않겠어요?

そうですか？　私は自分でも自分の性格がよくわかりません！

그래요? 저는 제 성격을 잘 모르겠어요!

챕터 **2**
한국의 역사와 배경

Chapter **2**
韓国の歴史と背景

국가의 상징

Q 한국의 국명은?

A 한국의 정식 명칭은 '대한민국'이며, 영문으로는 'REPUBLIC OF KOREA(ROK)'이다. 사용 편의상 '한국' 또는 '남한'으로 부르며, 영문으로는 'KOREA' 혹은 북한과의 구별을 위해 'South KOREA'라고 부른다. 서양에서 한국을 뜻하는 '코리아'라는 명칭의 유래는 고려시대로 거슬러 올라간다. 13세기 몽골이 세계 제국으로 발돋움하면서 처음으로 유럽에 고려라는 나라가 알려졌고, 'Corea'라고 불리다가 19세기에 미국식 표기인 'Korea'로 정착되었다. '대한'이라는 국명은 조선시대 말에 등장했다. 당시 임금이었던 고종은 봉건왕조였던 국가를 근대적 체제로 전환하고 국명을 '대한제국'으로 선포했다. 이후 일본 식민지 시기인 1919년, 중국의 상하이에서 결성된 임시정부에서 '대한민국'이라는 국명을 채택했고, 1948년 정부 수립 시에 이를 계승했다.

国家の象徴

Q 韓国の国名は？

A 韓国の正式名称は「大韓民国」で、英語では
「REPUBLIC OF KOREA（ROK）」である。便宜上「韓国」
または「南韓」と呼び、英語では「KOREA」または北朝
鮮との区別のために「South KOREA」と呼ぶ。西洋で韓
国を意味する「コリア」という名称の由来は高麗時代にさ
かのぼる。13世紀モンゴルが世界帝国に浮上し、初めて
ヨーロッパに高麗という国が知られ、「Corea」と呼ばれ、
19世紀にアメリカ式表記である「Korea」として定着した。
「大韓」という国名は朝鮮時代末に登場した。当時、王だっ
た高宗は封建王朝だった国家を近代的体制に転換し、国名
を「大韓帝国」と宣布した。その後、日本の植民地時代で
ある1919年、中国の上海で結成された臨時政府で「大韓
民国」という国名を採択し、1948年の政府樹立時にこれ
を継承した。

Q 한국의 국가는?

A 한국에서 국가는 '애국가'라고 지칭하며, 그 밖의 별칭은 없다. '애국가'의 가사는 1900년대 초반에 쓰였고, 그 작사가에 대해 여러 설이 있으나 공식적으로는 '작자 미상'인 상태이다. 1919년 대한민국 임시정부가 출범한 이후, 스코틀랜드 민요 <올드 랭 사인(Auld Lang Syne)>의 곡조에 이 가사를 붙여 부르다가, 1935년 안익태가 작곡한 <한국환상곡> 중에 후반부 합창 부분이 애국가의 곡조가 되었다. 1948년 대한민국 정부 수립 시에 정식 국가로 채택되었다. 최근에는 애국가의 작사가로 유력한 인물 및 작곡가 안익태의 식민지 시기 친일 행적이 문제가 되어 애국가 교체 논란이 있기도 했다.

Q 한국의 국기는 어떤 의미?

A 한국의 국기인 '태극기'는 흰색 바탕에 가운데 있는 태극 문양과 사방 대각선상에 검은색 4괘로 구성된다. 조선시대 말인 1897년 대한제국이 선포되면서부터 국기로 사용되었다. 지금의 태극기는 그때 사용된 태극기에서 문양이 약간 바뀐 것이다.

Q 韓国の国歌は？

A 韓国では国歌は「愛国歌」と呼ばれ、その他の別称はない。「愛国歌」の歌詞は 1900 年代初めに書かれ、その作詞家に対して色々な説があるが公式的には「作者不詳」の状態だ。1919 年に大韓民国臨時政府が発足して以来、スコットランドの民謡「オールド・ラング・サイン（Auld Lang Syne）*」の曲調にこの歌詞を付けて歌い、1935 年に安益泰（アンイクテ）が作曲した「韓国幻想曲」の中で後半部の合唱部分が愛国歌の曲調となった。1948 年大韓民国政府樹立時に正式国歌として採択された。最近は愛国歌の作詞家として有力な人物および作曲家である安益泰の植民地時代の親日行跡が問題になり、愛国歌交替論難があったりもした。

＊日本では「蛍の光」の原曲として知られている。

Q 韓国の国旗はどんな意味？

A 韓国の国旗である「太極旗」は白地に中央にある太極文様とその四方斜め上にある黒い四卦で構成される。朝鮮時代末の 1897 年、大韓帝国が宣布されてから国旗として使われた。今の太極旗は、そのときに使われた太極旗

태극기의 흰색 바탕은 밝음과 순수, 전통적으로 평화를 사랑하는 한국인의 민족성을 나타낸다. 가운데 태극 문양은 음(파랑)과 양(빨강)의 조화를 상징하는 것으로 우주 만물이 음양의 상호 작용에 따라 생성되고 발전한다는 대자연의 진리를 형상화한 것이다.

네 모서리의 4괘는 음과 양이 서로 변화하고 발전하는 모습을 효(爻)의 조합을 통해 구체적으로 나타낸 것이다. 이를 '건곤감리'라고 부르는데, 그 가운데 건괘(乾卦)는 하늘을, 곤괘(坤卦)는 땅을, 감괘(坎卦)는 물을, 이괘(離卦)는 불을 각각 상징한다. 이들 4괘는 태극을 중심으로 조화를 이루고 있다.

Q 한국의 국화는?

A '영원히 피고 또 피어서 시들지 않는 꽃'이라는 의미를 지닌 무궁화는 일편단심, 은근과 끈기로 대표되는 한민족의 정서를 반영하는 꽃이다. 한국을 상징하는 꽃으로 애국가에는 '무궁화 삼천리 화려강산'이라는 가사가 있으며, 국회 등의 표장도 무궁화를 바탕으로 만들어졌다. 다만 태극기나 애국가와는 달리 법령 규

から模様が若干変わったものだ。

太極旗の白地は明るさと純粋、伝統的に平和を愛する韓国人の民族性を表す。真ん中の太極文様は、陰（青）と陽（赤）の調和を象徴するもので、宇宙万物が陰陽の相互作用によって生成され発展するという大自然の真理を形象化したものだ。

四隅の四卦は陰と陽が互いに変化して発展する姿を爻の組み合わせを通じて具体的に表したものだ。これを「乾坤坎離」と呼ぶが、その中で乾卦は空を、坤卦は土地を、坎卦は水を、離卦は火をそれぞれ象徴する。これら四卦は太極を中心に調和している。

Q 韓国の国花は？

A 「永遠に咲き、また咲いて枯れない花」という意味を持つムクゲは、一途で情が深く、根気に代表される韓民族の情緒を反映する花だ。韓国を象徴する花として愛国歌には「ムクゲ 三千里 華麗な山河」という歌詞があり、国会などの標章もムクゲを土台に作られた。ただ、太極旗

정이 없어서 공식적인 국화는 아니다.

　일본의 '달마가 넘어졌다'라는 어린이 놀이는 한국에서는 '무궁
화꽃이 피었습니다'라는 놀이로 통용된다.

や愛国歌とは違って法令の規定がなく、公式的な国花ではない。

　日本の「だるまさんがころんだ」という子どもの遊びは、韓国では「ムクゲの花が咲きました」という遊びとして通用する。

漢字では「無窮花」と書き、7月初旬から10月下旬まで毎日のように花を咲かせる生命力は、韓民族が苦難と逆境を乗り越えてきた強靭な精神力と国家の発展・繁栄、そして不滅を象徴する。また、国内最高位の勲章（無窮花大勲章）や韓国軍・警察の階級章にも使われている。

한국의 역사

Q 한국사의 시대구분은?

A 한국사의 시대 구분은 구석기시대에서부터 신석기시대, 청동기시대, 철기시대로 구분되는 선사시대와 고조선의 성립 이후 원삼국시대, 삼국시대, 남북국시대, 후삼국시대까지의 고대, 고려 시대인 중세, 조선시대인 근세, 대한제국 수립 이후 오늘날까지의 근·현대 등으로 구분된다.

만주와 한반도 일대에 사람이 살기 시작한 것은 구석기시대인 70만 년 전으로 거슬러 올라간다. 신석기시대를 지나 청동기시대에 이르러 강력한 부족이 주변 세력을 규합해 국가 형태로 발전하는 단계에 이르렀다. 가장 먼저 등장한 국가는 조선(?~기원전 108년, 1392년 건국된 조선과 구별하기 위해 '고조선'이라 부른다)으로, 고조선을 세운 단군왕검은 흔히 한민족의 시조로 일컬어지고 있다. 기원전 108년, 중국 한나라와의 전쟁으로 고조선이 멸망한 이후 다양한 국가들이 난립하는 원삼국시대(또는 열국시대)를 거쳐, 고구려, 백제, 신라의 삼국시대가 펼쳐진다.

韓国の歴史

Q 韓国史の時代区分は？

A 韓国史の時代区分は旧石器時代から新石器時代、青銅器時代、鉄器時代に区分される先史時代と、古朝鮮の成立以後、原三国時代、三国時代、南北国時代、後三国時代までの古代、高麗時代の中世、朝鮮時代の近世、大韓帝国樹立以後今日までの近現代などに区分される。

　満州と朝鮮半島一帯に人が住み始めたのは旧石器時代の70万年前にさかのぼる。新石器時代を経て青銅器時代に至って強力な部族が周辺勢力を統一して国家形態に発展する段階に至った。最初に登場した国家は朝鮮（？～紀元前108年、1392年に建国された朝鮮と区別するために「古朝鮮」と呼ばれる）で、古朝鮮を建てた檀君王倹はよく韓民族の始祖と言われている。紀元前108年、中国の漢との戦争で古朝鮮が滅亡して以来、多様な国家が乱立する原三国時代（または列国時代）を経て、高句麗、百済、新羅の三国時代が繰り広げられる。

支石墓（고인돌）は階級分化が始まった青銅器時代に主に作られた巨石建造物。人骨や石器、玉、青銅器などが出土し、経済力や政治権力をもった支配層の墓と推定されているが、正確な用途はまだ明らかになっていない。アジアや西ヨーロッパ、北アフリカなどの世界各地に見られ、朝鮮半島にはその半数の約4万基あるといわれている。

Q 삼국시대란?

A 삼국시대는 기원전 1세기부터 7세기까지 고구려, 백제, 신라 삼국이 만주와 한반도 일대에서 중앙집권적 국가로 발전한 시기를 일컫는다. 삼국 가운데 가장 먼저 국가체제를 정비한 국가는 고구려(기원전 37년)이다. 철기문화의 발달과 농경기술의 발전을 기반으로 국가체제를 정비해가던 고구려는 5세기 광개토대왕에 이르러 오늘날의 만주 일대와 한반도 남부에까지 영토를 넓히며 전성기를 맞이했다.

백제는 한강 유역의 토착 세력과 고구려계 유민 및 이민 세력이 결합해 기원전 18년에 건국되었다. 3세기 중엽 한강 유역을 완전히 장악하고 중국의 선진문화를 수용하여 정치체제를 정비했다. 4세기 중반 근초고왕은 마한(당시 한반도 남부지역을 차지한 삼한, 즉 마한, 변한, 진한 가운데 한 곳) 지역을 정복하고 전라도 남해안까지 진출했다. 북으로는 황해도 지역을 놓고 고구려와 대치했으며, 남으로는 가야 지역에 지배권을 행사했다. 당시 백제가 지배한 땅은 오늘날의 경기도, 충청도, 전라도와 낙동강 중류 지역, 강원도, 황해도에 이르는 넓은 지역이었다. 백제는 특히 일본과의 교류를 통해 문화적 영향을 미친 것으로 알려져 있으며, 일본에는 여전히 백제와 관련된 흔적들이 많이 남아 있다.

신라는 진한의 소국 중 하나에서 출발했다. 경주 지역의 토착 세력 및 유민과 이민 집단이 결합해 기원전 57년 국가로 성장했

Q 三国時代とは？

A 三国時代は紀元前1世紀から7世紀まで高句麗、百済、新羅の三国が満州と朝鮮半島一帯で中央集権的国家に発展した時期を指す。三国の中で一番先に国家体制を整備したのは高句麗（紀元前37年）だ。鉄器文化の発達と農耕技術の発展を基盤に国家体制を整備してきた高句麗は、5世紀の広開土大王（好太王）に至り、今日の満州一帯と朝鮮半島南部にまで領土を広げ、全盛期を迎えた。

百済は漢江流域の土着勢力と高句麗系の流民と移民勢力が結合し、紀元前18年に建国された。3世紀中頃、漢江流域を完全に掌握し、中国の先進文化を受け入れ、政治体制を整備した。4世紀半ば、近肖古王は馬韓（当時朝鮮半島南部地域を占めた三韓〔馬韓、弁韓、辰韓〕の一つ）地域を征服し、全羅道南海岸まで進出した。北には黄海道地域をめぐって高句麗と対峙し、南には伽耶地域に支配権を行使した。当時、百済が支配した土地は今日の京畿道、忠清道、全羅道と洛東江中流地域、江原道、黄海道に至る広い地域だった。百済は特に日本との交流を通じて文化的影響を及ぼしたと知られており、日本には依然として百済と関連した痕跡が多く残っている。

新羅は辰韓の小国の一つから出発した。慶州地域の土着勢力および流民と移民集団が結合し、紀元前57年に国家

다. '박, 석, 김'씨 성을 쓰는 인물이 교대로 왕위에 올랐으며, 4세기경에는 낙동강 동쪽을 거의 차지했다.

6세기 이후 고구려가 중국의 수와 당의 침입을 막아내는 동안 백제는 신라를 자주 공격했다. 신라는 고구려와 동맹을 시도했으나 실패한 후 중국의 당나라와 손을 잡고 백제를 침공했다. 김유신이 거느린 신라군은 황산벌에서 계백이 이끄는 백제 결사대를 격파하고 백제의 수도에 진출했다. 한편 당나라 군대는 금강 하구로 침입했다. 신라와 당의 협공을 받은 백제는 660년에 항복했다. 백제를 멸망시킨 신라는 당나라와 연합하여 당시 동북아시아의 최강국가인 고구려를 공격했다. 중국의 두 제국(수, 당)과 오랜 전쟁을 치러 국력이 소모되어 있던 터라 고구려 또한 668년에 멸망했다.

Q 남북국시대란?

A 중국 당나라와 연합하여 삼국을 통일한 신라는 영토와 인구가 크게 증가했으며, 경제 또한 비약적으로 발전했다. 하지만 두 국가 간의 연합은 곧 붕괴하고 양국은 전쟁에 돌입했다. 이를 '나당전쟁'이라고 부른다. 전쟁 결과 신라는 국가를 지켜냈으나, 한반도 북부와 만주 일대, 즉 옛 고구려 지역의 거의 대부분을 당나라에 넘겨줄 수밖에 없었다. 한반도 역사상 처음으로 통일 국가를 이루어낸 신라는 삼국시대의 신라와 구분하여 '통일신라'라는 명

に成長した。「朴、石、金」氏の姓を使う人物が交代で王位に上がり、4世紀頃には洛東江の東側をほとんど占めた。

　6世紀以降、高句麗が中国の隋と唐の侵入を防ぐ間、百済は新羅を頻繁に攻撃した。新羅は高句麗と同盟を試みたが失敗した後、中国の唐と手を組んで百済に侵攻した。金庾信が率いる新羅軍は、黄山伐で階伯が率いる百済決死隊を撃破し、百済の首都に進出した。一方、唐の軍隊は錦江河口に侵入した。新羅と唐の協力を受けた百済は660年に降伏した。百済を滅亡させた新羅は唐と連合し、当時北東アジアの最強国家である高句麗を攻撃した。中国の二つの帝国（隋、唐）と長い戦争をして国力が消耗していたため、高句麗も668年に滅亡した。

Q 南北朝時代とは？

A　中国の唐と連合して三国を統一した新羅は領土と人口が大きく増加し、経済も飛躍的に発展した。しかし、両国間の連合はまもなく崩壊し、両国は戦争に突入した。これを「羅唐戦争」と呼ぶ。戦争の結果、新羅は国家を守り抜いたが、朝鮮半島北部と満州一帯、すなわち旧高句麗地域のほとんどを唐に渡すしかなかった。朝鮮半島史上初めて統一国家を成し遂げた新羅は三国時代の新羅と区分し

칭으로 부르며, 통일 이후 200여 년간 존속했다. 9세기 초 신라의 장군 장보고는 '청해진'이라는 해적 소탕 기지이자 무역 거점을 설치하고 중국 및 일본과의 교역 거점을 마련했다.

한편, 중국의 수중에 넘어간 만주 일대에서는 고구려 유민들의 저항이 계속되었다. 698년 대조영 등 고구려 유민들은 말갈족과 함께 만주에서 발해를 건국했다. 발해의 건국으로 한반도와 만주 지역은 남쪽의 신라와 북쪽의 발해가 대립하는 형세가 되었다. 발해는 영역을 확장해 옛 고구려 영토를 대부분 회복했다. 발해는 고구려를 계승했다는 자부심을 가졌으며, 일본에 보낸 문서에도 고구려왕을 뜻하는 '고려왕'이라는 표현을 사용했다. 발해는 해동성국으로 불릴 만큼 번영했으나 백두산 화산 폭발과 거란의 침략으로 926년 멸망했다.

Q 고려시대란?

A 8세기 후반, 신라는 중앙 귀족들의 권력 쟁탈전으로 쇠약해졌다. 지방 통제력이 약화되자 10세기에는 견훤과 궁예로 대표되는 지방 세력들이 독자적인 정권을 세웠다. 892년 견훤은 전라도와 충청도 지역을 지배하는 후백제를 건국했다. 901년에는 신라 왕족 출신인 궁예가 강원도와 경기도 일대를 장악하고 후고구

て「統一新羅」という名称で呼び、統一後200年間存続した。9世紀初め、新羅の将軍張保皐は「清海鎮」という海賊掃討基地である貿易拠点を設置し、中国や日本との交易拠点とした。

　一方、中国の手中に渡った満州一帯では高句麗の流民の抵抗が続いた。698年、大祚栄など高句麗の遺民たちは靺鞨族（女真族）とともに満州で渤海を建国した。渤海の建国で朝鮮半島と満州地域は南側の新羅と北側の渤海が対立する形勢になった。渤海は領域を拡張し、旧高句麗領土の大半を回復した。渤海は高句麗を継承したという自負心を持ち、日本に送った文書にも高句麗王を意味する「高麗王」という表現を使った。渤海は「海東の盛国」と呼ばれるほど繁栄したが、白頭山の火山爆発と契丹の侵略で926年に滅亡した。

Q 高麗時代とは？

A 8世紀後半、新羅は中央貴族の権力争奪戦で衰えた。地方統制力が弱まると、10世紀には甄萱と弓裔に代表される地方勢力が独自の政権を立てた。892年、甄萱は全羅道と忠清道地域を支配する後百済を建国した。901年には新羅王族出身の弓裔が江原道と京畿道一帯を掌握し、

려를 건국했다. 하지만 지방의 호족 세력을 통제하며 왕권을 강화하는 과정에서 민심을 잃은 궁예는 918년 부하인 왕건에게 쫓겨났다. 왕건은 나라 이름을 고구려를 계승한다는 의미로 고려라고 지었다. 고려는 후백제를 공격하는 반면, 신라에는 적극적인 포용 정책을 폈다.

935년 통일신라는 고려에 항복해 전쟁 없이 흡수되었다. 후백제에서는 지배층의 내분이 일어나 견훤이 왕건에게 투항했으며, 왕건은 936년 후백제를 공격하여 멸망시킴으로써 후삼국을 통일했다. 고려는 중국의 송나라를 비롯하여 여러 나라와도 활발히 교류했다. 수도인 개성에 들어가는 관문 벽란도에는 송, 서역과 아라비아, 동남아시아, 일본의 상인들이 빈번히 드나들었다. 송나라 상인들은 비단과 약재, 고려 상인들은 삼베와 인삼 등을 팔았다. 아랍 지역에선 상아, 수정, 호박 등 보석이 들어왔다. 서양에서는 한국을 '코리아'라고 부르는데 이 명칭은 바로 '고려'에서 비롯되었다.

13세기 초 중국의 정세는 급변했다. 유목민인 몽골족이 통일국가를 이루면서 중국의 금나라를 멸망시키고 한반도로 세력을 확장했다. 몽골은 1231년 1차 침입 이래 일곱 차례나 고려를 침략했다.

고려시대는 찬란한 문화를 자랑한다. 비취색 도자기 표면을 파고 무늬를 넣은 '상감' 기법의 상감청자는 전 세계 어디에도 없는 독창적인 예술품이다. 8만 1,258장의 나무판에 불교 경전을 조각해 종이에 인쇄한 팔만대장경은 이 시대 불교문화의 정수이다. 또한 세계 최초의 금속활자도 고려인이 발명했다. 한국의 역사 기록에 따르면, 고려가 금속인쇄 기술을 발명한 시기는 서양보다 200

後高句麗を建国した。しかし、地方の豪族勢力を統制し王権を強化する過程で民心を失った弓裔は918年、部下の王建に追い出された。王建は国名を高句麗を継承するという意味で高麗と名付けた。高麗は後百済を攻撃する一方、新羅には積極的な包容政策を展開した。

935年、統一新羅は高麗に降伏し、戦争なく吸収された。後百済では支配層の内紛が起き、甄萱が王建に投降し、王建は936年後百済を攻撃して滅亡させ、後三国を統一した。高麗は中国の宋をはじめ、様々な国とも活発に交流した。首都の開城に入る関門の碧蘭島には、宋、西域とアラビア、東南アジア、日本の商人が頻繁に出入りした。宋の商人たちは絹と薬材、高麗商人たちは麻布と高麗人参などを売った。アラブ地域では象牙、水晶、琥珀などの宝石が入ってきた。西洋では韓国を「コリア」と呼ぶが、この名称はまさに「高麗」から始まった。

13世紀初め、中国の情勢は急変した。遊牧民であるモンゴル族が統一国家を成し、中国の金を滅亡させ、朝鮮半島に勢力を拡大した。モンゴルは1231年の第1次侵入以来、7回も高麗を侵略した。

高麗時代は輝かしい文化を誇る。翡翠色の陶磁器表面を掘って模様を入れた「象嵌」技法の象嵌青磁は世界中どこにもない独創的な芸術品だ。8万1,258枚の木版に仏教経典を彫刻して紙に印刷した八万大蔵経は、この時代の仏教文化の精髄だ。また、世界初の金属活字も高麗人が発明した。韓国の歴史記録によると、高麗が金属印刷技術を発明

년 이상 앞선다.

Q 조선은 어떻게 건국되었나?

A 14세기 말 고려는 권문세족에의 과다한 권력 집중, 홍건
족과 왜구의 침입 등 내우외환에 시달렸다. 홍건족과 왜구의 격퇴
로 민심을 얻은 장군 이성계를 중심으로 한 세력이 고려의 왕을
내쫓고, 이성계를 새 왕조의 첫 왕인 태조로 추대했다(1392년).
태조는 즉위한 후 국호를 조선으로 바꿨으며, 풍수지리적으로 명
당인 한양(현재의 서울)을 수도로 정하고 도성과 경복궁, 종묘, 도
로, 시장 등을 건설하도록 했다. 한양은 한반도의 중심에 위치했
을 뿐만 아니라, 한강을 통해서 국내외 교류가 가능했으니 수도
로는 최적지였다.

태조의 아들 태종은 왕권을 안정시키고 국가의 기반을 다졌다.
호패법을 시행해 전국의 인구를 파악하고, 국가행정을 담당한 육
조가 직접 왕에게 보고하는 중앙집권체제를 확립했다. 태종의 아
들 세종은 정치, 사회, 문화의 전성기를 열었다. 집현전을 설치하

した時期は西洋より200年以上進んでいる。

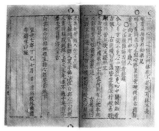

現存する最古の金属活字の印刷物として、1377年に出版された『直指』という本がある。1455年に印刷された西洋初の金属活字印刷本より78年も前に印刷されたこの本は、現在フランス国立図書館に所蔵されており、2001年にユネスコの「世界の記憶」に登録された。

Q 朝鮮はどのように建国されたのか？

A　14世紀末、高麗は権門勢族の過度な権力集中、紅巾族と倭寇の侵入など内憂外患に苦しんだ。紅巾族と倭寇撃退で民心を得た将軍李成桂を中心とした勢力が高麗の王を追い出し、李成桂を新王朝の最初の王である太祖に推戴した（1392年）。太祖は即位後、国号を朝鮮に変え、風水地理的に明堂である漢陽（現在のソウル）を首都に定め、都城や景福宮、宗廟、道路、市場などを建設することにした。漢陽は朝鮮半島の中心に位置しただけでなく、漢江を通じて国内外の交流が可能だったので、首都としては最適地だった。

　太祖の息子、太宗は王権を安定させ、国家の基盤を固めた。戸牌法を施行して全国の人口を把握し、国家行政を担当した陸曹が直接王に報告する中央執権体制を確立した。太宗の息子世宗は政治、社会、文化の全盛期を切り開いた。

여 정책을 개발하고 국가가 나아가야 할 방향을 연구하게 했다. 세조~성종 시기에는 국가의 항구적인 통치체제를 확립하기 위해 '경국대전'이라는 법전을 편찬했으며, 이를 계기로 조선왕조의 통치체제는 더욱 안정되었다.

Q 도요토미 히데요시가 출병했을 당시 조선은 어떤 상황이었는가?

A 조선을 건국한 14세기부터 15세기까지 일본과의 관계는 원만했다. 그러나 16세기에 들어 일본이 더 많은 교역을 요구했으나 조선은 이에 응하지 않았다. 당시 일본의 도요토미 히데요시는 120여 년에 걸친 전국시대의 혼란을 수습하고 일본을 통일했다. 그는 다이묘들의 힘을 분산하고 통치의 안정을 위해 20만 대군을 동원해 조선을 침공했다. 1592년부터 1598년까지 7년간 두 차례에 걸쳐 계속된 이 전쟁을 한국에서는 '임진왜란'이라고 한다.

조선의 왕이 의주로 피란하여 명나라에 군사 지원을 요청한 가운데 일본군은 평양과 함경도 지방까지 침공했다. 이에 대항해 전국 각지에서 의병이 일어났다. 특히 이순신 장군이 이끄는 수군이 일본군의 기세를 꺾었다. 더구나 1597년 일본이 재차 침입해왔을 때 이순신 장군은 13척의 배로 일본의 133척의 전함과 전투를 벌였다. 이를 '명량해전'이라고 한다. 일본군은 도요토미 히데요시의 사망으로 인해 철수했다. 일본군의 침공으로 불국사를 비롯한

集賢殿を設置して政策を開発し、国家が進むべき方向を研究させた。世祖〜成宗時代には国家の恒久的な統治体制を確立するために『経国大典』という法典を編纂し、これを契機に朝鮮王朝の統治体制はさらに安定した。

Q 豊臣秀吉が出兵したとき、朝鮮はどのような状況だった？

A 朝鮮を建国した14世紀から15世紀まで、日本との関係は円満だった。しかし、16世紀に入って日本がより多くの交易を要求したが、朝鮮はこれに応じなかった。当時、日本の豊臣秀吉は120年余りにわたる戦国時代の混乱を収拾し、日本を統一した。彼は大名の力を分散し、統治の安定のために20万の大軍を動員して朝鮮に侵攻した。1592年から1598年までの7年間、2度にわたって続いたこの戦争を韓国では「壬辰倭乱*」という。

＊日本では「文禄・慶長の役」として知られる。

　朝鮮の王が義州に避難し、明に軍事支援を要請した中、日本軍は平壌と咸鏡道地方まで侵攻した。これに対抗して全国各地で義兵が起きた。特に李舜臣将軍が率いる水軍が日本軍の勢いをくじいた。しかも、1597年に日本が再び侵入してきたとき、李舜臣将軍は13隻の船で日本の133隻の戦艦と戦闘を繰り広げた。これを「鳴梁海戦」という。日本軍は豊臣秀吉の死によって撤退した。日本軍の侵攻で

많은 문화재가 소실되었다. 한편 일본은 조선에서 납치해간 도공이 도자기 문화를 발전시켰다.

Q 일본의 식민지 시기 한반도의 상황은?

A 18세기 산업혁명을 거치면서 서구에는 자본주의가 발달하고 거대한 기업도 탄생했다. 서구 제국들은 아시아, 아프리카 등 해외로 진출해 식민지를 확장했다. 19세기 중엽, 청과 일본을 개항시킨 서구 열강은 조선에 통상을 요구했으나 조선 정부는 이를 거부했고, 1866년에는 프랑스, 1871년에는 미국의 함대가 침공하자 공격을 물리쳤다.

그 후에도 압력은 그치지 않았다. 1875년 일본은 군함 운요호를 보내 개방을 요구했다. 일본의 요구, 청나라의 권유 등으로 1876년 강화도에서 조일수호조규를 맺었다. 흔히 '강화도 조약'이라고 불리는 이 조약은 군사적 위협 아래 일본의 권리만 인정한 불평등 조약이었다. 이후 일본을 비롯한 제국주의 열강은 조선의 자원을 경쟁적으로 약탈했다. 이에 맞서 조선은 1897년에 나라 이름을 '대한제국'으로 바꾸고 교육과 산업을 육성하는 등 개혁과 개방을 추진했지만 역부족이었다.

청나라, 러시아와 벌인 전쟁에서 승리한 일본은 한반도와 동북

仏国寺をはじめとする多くの文化財が焼失した。一方、日本では朝鮮から連れてきた陶工が陶磁器文化を発展させた。

Q 日本の植民地時代の朝鮮半島の状況は？

A 18世紀の産業革命を経て西欧には資本主義が発達し、巨大な企業も誕生した。西欧諸国はアジア、アフリカなど海外に進出して植民地を拡張した。19世紀中頃、清と日本を開港させた西欧列強は朝鮮に通商を要求したが、朝鮮政府はこれを拒否し、1866年にはフランス、1871年には米国の艦隊が侵攻すると攻撃を退けた。

その後も圧力は止まなかった。1875年、日本は軍艦雲揚号を送り、開国を要求した。日本の要求、清の勧めなどで1876年、江華島で日朝修好条規を結んだ。よく「江華島条約」と呼ばれるこの条約は、軍事的脅威の下、日本の権利だけを認めた不平等条約であった。以後、日本をはじめとする帝国主義列強は朝鮮の資源を先を争って略奪した。これに対抗して朝鮮は1897年に国名を「大韓帝国」に変え、教育と産業を育成するなど改革と開放を推進したが力不足だった。

清、ロシアと行った戦争で勝利した日本は、朝鮮半島と

아에서 패권을 차지했다. 안중근으로 대표되는 애국적인 한국인들은 목숨을 바쳐 일본 침략의 부당성을 국제사회에 호소했다. 그러나 1910년 8월 대한제국은 일본제국의 식민지가 되었다.

Q 한국전쟁이란?

A 6·25전쟁 또는 한국전쟁은 1950년 6월 25일 오전 4시에 북한이 기습적으로 한국을 침공(남침)하여 발발한 전쟁이다. 유엔군과 중국인민지원군 등이 참전하여 세계적인 대규모 전쟁으로 비화될 뻔 했으나, 1953년 7월 27일 22시에 체결된 휴전협정에 따라 일단락되었다. 휴전 이후로도 현재까지 양측의 유무형적 갈등은 지속되고 있다. 제2차 세계대전 이후, 공산·반공 양강 진영으로 대립하게 된 세계의 냉전적 갈등이 열전으로 폭발한 대표적 사례로, 냉전인 동시에 실전이었으며, 국부전인 동시에 전면전이라는 복잡한 성격을 가졌다. 이는 국제연합군과 의료진을 비롯해 중국과 소련까지 관여한 제2차 세계대전 이후 최대의 전쟁이다.

전쟁 이전 미리 중국의 마오쩌둥과 소련의 이오시프 스탈린의 협조와 지지를 얻은 김일성은 1950년 6월 25일 새벽 4시 38선 이남으로 선전포고도 없이 진격했다. 북한군의 대공세에 유엔은

北東アジアで覇権を握った。安重根に代表される愛国的な韓国人は、命をかけて日本侵略の不当性を国際社会に訴えた。しかし、1910 年 8 月、大韓帝国は大日本帝国の植民地となった。

Q 朝鮮戦争とは？

A 　6・25 戦争または朝鮮戦争は 1950 年 6 月 25 日午前 4 時に北朝鮮が奇襲的に韓国を侵攻（南侵）して勃発した戦争だ。国連軍と中国人民支援軍などが参戦し、世界的な大規模戦争に飛び火するところだったが、1953 年 7 月 27 日 22 時に締結された休戦協定により一段落した。休戦後も現在まで双方の有形・無形的葛藤は続いている。第二次世界大戦以後、共産・反共両強陣営で対立するようになった世界の冷戦的葛藤が熱戦で爆発した代表的事例であり、冷戦であると同時に実戦であり、国富戦であると同時に全面戦争という複雑な性格を持った。これは国際連合軍と医療スタッフをはじめ、中国とソ連まで関与した第二次世界大戦以後最大の戦争だ。

　戦争以前、あらかじめ中国の毛沢東とソ連のヨシフ・スターリンの協力と支持を得た金日成主席は、1950 年 6 月 25 日未明 4 時、38 度線以南に宣戦布告もなく進撃した。

미국을 주축으로 바로 유엔 안전보장이사회 결의 제82호를 의결하고 이 전쟁에서 한국을 원조하기로 결정하고 파병했다. 그리하여 7월 7일 더글라스 맥아더 원수를 총사령관으로 하는 유엔군이 조직되었다. 북한군은 무방비 상태였던 중부지방과 호남지방을 삽시간에 휩쓸었다. 연합군은 낙동강 방어선에서 배수진의 결전을 전개했다.

연합군은 맥아더의 9월 15일 인천 상륙작전을 시작으로 대대적인 반격을 개시하여 10월 10일 평양에 이어 압록강 부근까지 이르렀으나, 11월 중순 중국 인민지원군이 개입하여 전세가 다시 뒤집혔으며, 이로 인해 혜산진까지 진격하던 연합군은 1월 4일 서울을 빼앗기고 말았다. 이를 '1·4후퇴'라고 한다. 1953년 7월 27일 22시에 체결된 휴전협정으로 인하여 설정된 한반도 군사분계선을 사이에 두고 휴전했다. 현재까지 서류상으로는 휴전 상태로, 협정 체결 이후에도 남북간에 크고 작은 군사적 분쟁이 계속하여 발생하고 있다.

北朝鮮軍の攻勢に国連は、米国を主軸に国連安全保障理事会決議第82号を議決し、この戦争で韓国を援助することを決め、派兵した。そして7月7日、ダグラス・マッカーサー元帥を総司令官とする国連軍が組織された。北朝鮮軍は無防備状態だった中部地方と湖南地方を瞬く間に襲った。連合軍は洛東江防御線で背水の陣の決戦を展開した。

韓国に到着したダグラス・マッカーサー元帥を迎える李承晩大統領（右）

　連合軍はマッカーサーの9月15日の仁川上陸作戦を皮切りに大々的な反撃を開始し、10月10日の平壌に続き鴨緑江付近まで至ったが、11月中旬に中国人民支援軍が介入して戦勢が再び覆され、これによって恵山鎮まで進撃していた連合軍は翌年1月4日にソウルを奪われてしまった。これを「1・4後退」という。1953年7月27日22時に締結された休戦協定によって設定された朝鮮半島軍事境界線を挟んで休戦した。現在まで書類上では休戦状態で、協定締結以後にも南北間に大小の軍事紛争が継続して発生している。

기질과 가치관

Q 한국인이 중요하게 생각하는 가치관은?

A 한국은 전통적으로 유교 사상의 영향을 많이 받아왔다. 그 대표적인 것이 충효사상이다. '충'은 공적 영역에서의 지도원리로 국가(임금)에 대한 충성을, '효'는 사적 영역에서 부모자식 간, 웃사람과 아랫사람의 관계를 나타내며, 둘 다 상하관계를 기본으로 하고 있다.

유교 사상에 영향을 받은 또 다른 한국인의 덕목으로 '삼강오륜'을 들 수 있는데, 그 가운데 '오륜'을 소개하면 다음과 같다.

부자유친: 부모와 자식 사이에는 친함이 있어야 한다.
군신유의: 임금과 신하 사이에는 의로움이 있어야 한다.
부부유별: 부부 사이에는 구별이 있어야 한다.
장유유서: 어른과 아이 사이에는 순서와 질서가 있어야 한다.
붕우유신: 친구 사이에는 믿음이 있어야 한다.

그러나 지금의 한국인들은 이러한 전통적 유교 사상으로부터 벗어나려는 경향이 강하며, 모든 영역에서 유교 사상의 영향은 희미하게 남아 있을 뿐이다.

気質と価値観

Q 韓国人が大切にする価値観とは？

A 　韓国は伝統的に儒教思想の影響を多く受けてきた。その代表的なのが忠孝思想だ。「忠」は公的領域での指導原理で国家（王様）に対する忠誠を、「孝」は私的領域で親子間、目上の人と目下の人の関係を表し、両方とも上下関係を基本としている。

　儒教思想に影響を受けたもう一つの韓国人の徳目として「三綱五倫」が挙げられるが、その中で「五倫」を紹介すると次のようになる。

　　父子有親：親子の間には親愛がなければならない。

　　君臣有義：王と臣下の間には義がなければならない。

　　夫婦有別：夫婦の間には区別がなければならない。

　　長幼有序：大人と子どもの間には順序と秩序がなけれ
　　　　　　　ばならない。

　　朋友有信：友人の間には信頼がなければならない。

　しかし、今の韓国人はこのような伝統的儒教思想から抜け出そうとする傾向が強く、すべての領域で儒教思想の影響はかすかに残っているだけだ。

Q 한국인의 '정'과 '한'이란?

A　한국에서 '정'은 인간 본성의 하나로 여겨지고 있다. 그것은 인간 내면의 속성이면서도 인간 행위의 양태이기도 하다. 더나아가서 그것은 인간관계에서 서로 간의 관계 맺음의 기능을 하기도 한다. 한국의 TV 광고 가운데 "말하지 않아도 알아, 눈빛만 보아도 알아"라는 문구가 한국인의 '정'을 표현한 것으로 유명하다. '정'은 흔히 부부간의 정, 친구간의 정, 이웃간의 정 등으로 표현되며, 사회에서 더불어 함께 살아가기 위해 필요한 덕목이다.

한편, 한국인의 '한'이란 억울함, 분함, 울화 등의 감정으로 인해 발생하는 슬픔, 비애, 쓸쓸함, 체념 등의 정서를 아우르는 단어이다. 일본인 미술평론가 야나기 무네요시는 조선의 예술에 대해 '비애의 미'라는 용어를 처음 제시했는데, 이 또한 '한'과 유사한 개념이다. 그에 따르면, 조선은 반도적 성격 때문에 늘 외침에 시달렸고 그로 인해 괴로움과 슬픔의 역사를 갖게 되었으며, 그러한 역사적 경험이 조선 특유의 미감을 형성했다고 한다. 이러한 생각은 일제강점기를 전후하여 널리 전파되었고, 한국전쟁과 분단, 군사독재 등 슬프고 고통스러운 현대사를 겪으며 '한'은 한국인의 대표적 정서로 알려지게 되었다.

Q 韓国人の「情」と「恨」とは？

A 　韓国で「情」は人間の本性の一つと考えられている。それは人間の内面の属性でありながら、人間行為の様態でもある。さらに、それは人間関係で互いの関係を結ぶ機能をすることもある。韓国のテレビ広告の中で「言わなくても分かる、目つきだけ見ても分かる」という文句が韓国人の「情」を表現したことで有名だ。「情」はよく夫婦間の情、友人間の情、隣人間の情などと表現され、社会で共に生きていくために必要な徳目だ。

　一方、韓国人の「恨」とは悔しさ、忌忌しさ、鬱憤などの感情によって発生する悲しみ、悲哀、寂しさ、あきらめなどの情緒を併せ持つ単語だ。日本人美術評論家の柳宗悦は朝鮮の芸術に対して「悲哀の美」という用語を初めて提示したが、これもまた「恨」と類似した概念だ。彼によれば、朝鮮は半島的性格のため、常に外からの進入に悩まされ、それによって苦しみと悲しみの歴史を持つようになり、そのような歴史的経験が朝鮮特有の美感を形成したという。このような考えは日本による植民地時代を前後して広く伝わり、朝鮮戦争と分断、軍事独裁など悲しく苦しい現代史を経験し、「恨」は韓国人の代表的情緒として知られるようになった。

柳宗悦

Q 한국 종교의 특징은?

A 한국의 종교는 비교적 다양하며, 특히 무교의 비중이 절반에 달하는 세속주의 성향이 강하다. 대한민국 헌법에서는 종교의 자유를 보장하고 있다. 여러 조사에 의하면 약 절반의 인구는 특정한 종교에 소속해 있지 않으며 나머지 인구는 대부분 기독교나 불교를 믿고 기독교 인구의 약 2/3는 개신교, 1/3은 천주교에 속한다. 약 1%의 인구는 원불교, 유교, 천도교, 대순진리회, 이슬람교 등의 여러 소수 종교를 믿는 것으로 조사되었다. 한국은 남북 모두 근현대에 들어 종교관에 큰 변화를 겪었으며 대한민국에서는 건국 이후 기독교의 빠른 확산이 눈에 띄었다. 최근에는 젊은 인구층에서 종교를 믿지 않는 인구의 비율이 증가했는데, 한 조사에 의하면 그중 스스로를 무신론자로 여기는 사람의 비율은 약 15%였다. 한국의 문화와 종교관은 전반적으로 조선시대 동안 지배적이었던 성리학과 오랜 기간 이어져온 토착 신앙인 샤머니즘(무속신앙)의 영향을 받았다.

Q 韓国の宗教の特徴は？

A 韓国の宗教は比較的多様で、特に無宗教の比重が半分に達する世俗主義性向が強い。大韓民国憲法では宗教の自由を保障している。複数の調査によると、約半分の人口は特定の宗教に所属しておらず、残りの人口は大部分がキリスト教や仏教を信仰し、キリスト教人口の約2/3はプロテスタント、1/3はカトリック教に属する。約1%の人口は円仏教、儒教、天道教、大順真理会、イスラム教などの少数宗教を信じていると調査された。韓国は南北いずれも近現代に入って宗教観に大きな変化を経験し、大韓民国では建国後、キリスト教の急速な拡散が目立った。最近では若い人口層で宗教を信じない人口の割合が増加したが、ある調査によると、そのうち自らを無神論者と考える人の割合は約15%だった。韓国の文化と宗教観は、全般的に朝鮮時代に支配的だった性理学*と長い間続いてきた土着信仰であるシャーマニズム（巫俗信仰）の影響を受けた。

*中国の宋代から明代にかけて隆盛した儒学の一学説。

Q 한국인의 일본관은?

A 한국인에게 일본은 '가깝고도 먼 나라'라는 인식이 지배적이다. 만약 한국인에게 일본에 대한 인상을 물어본다면 아마도 이 대답을 가장 많이 듣게 될 것이다. 지리적 거리로는 더없이 가까운 나라, 하지만 정서적 거리로는 가까울 수 없는 더없이 먼 나라가 일본이라는 생각을 한국인들은 하고 있다. 수많은 이유들이 있겠지만, 그중에서도 가장 큰 이유는 아무래도 양국 간의 불행한 역사적 관계에서 비롯된 것일 것이다. 지금까지도 이어지고 있는 정치적 대립 또한 그 연원을 거슬러 올라가면 해소되지 못한 양국 간의 역사 인식 문제가 자리잡고 있다.

한편에서 한국의 젊은이들은 일본의 만화와 애니메이션, 게임 등을 즐긴 지 이미 오래 되었고, 일본의 젊은이들 또한 한국의 케이팝이나 케이 드라마 같은, 이른바 '한류'를 좋아하는 팬들이 점차 늘어나고 있다. 이처럼 양국의 젊은이들이 서로의 문화와 취향을 이해하고 즐기는 현상은 무척이나 고무적이다. 코로나 이후 해외여행으로 가장 가고 싶은 나라로 한국에서는 일본이 1위를 차지했다. 일본 또한 다르지 않다. 지금의 세대가 점차 성장하여 사회의 주류가 되면, 양국 간의 앙금도 얼마간 해소되지 않을까 기대한다.

Q 韓国人の日本観は？

A 韓国人にとって日本は「近くて遠い国」という認識が支配的だ。もし韓国人に日本に対する印象を聞いたらおそらくこの答えを一番多く聞くことになるだろう。地理的距離ではこの上なく近い国、しかし情緒的距離ではこの上なく遠い国が日本だという考えを韓国人はもっている。数多くの理由があるだろうが、その中でも最も大きな理由は、両国間の不幸な歴史的関係によるものだろう。これまでも続いている政治的対立も、その淵源をさかのぼれば解消されなかった両国間の歴史認識問題が根付いている。

一方、韓国の若者たちは日本の漫画やアニメ、ゲームなどを楽しんでからもう長く、日本の若者たちも韓国のK-POP や K-DRAMA のような、いわゆる「韓流」が好きなファンが次第に増えている。このように両国の若者たちがお互いの文化と趣向を理解して楽しむ現象は非常に鼓舞的だ。コロナ以後、海外旅行で最も行きたい国として韓国では日本が1位を占めた。日本も同じだ。今の世代が次第に成長して社会の主流になれば、両国間のわだかまりもいくらか解消されるのではないかと期待する。

教えてキムさん！
もっと気になる韓国の **なぜ？** **なに？**

韓国の人たちが韓国のことを「ウリナラ」というのを聞いたことがありますが、これって「私たちの国」という意味ですよね？日本では馴染みのない表現ですが、韓国の人はどうしてこのように呼ぶのでしょうか？

한국사람들이 한국을 '우리나라'라고 하는 걸 들은 적이 있는데, 이게 '우리의 나라'라는 뜻이죠? 일본에서는 생소한 표현인데, 한국사람들은 왜 이렇게 부를까요?

特に意識をしたことがなかったので、どうしてか理由を聞かれると答えるのが難しいですね。国歌 (愛国歌) のサビにも「ウリナラ」という歌詞があって、韓国人は自然に使っています。

특별히 의식을 한 적이 없었기 때문에 왜 그런지 이유를 물으면 대답하기가 어렵네요. 국가(애국가) 후렴구에도 '우리나라'라는 가사가 있어서 한국인들은 자연스럽게 사용하고 있어요.

「私の国」ではなくて「私たちの国」なんですね？

'나의 나라'가 아니라 '우리의 나라'군요?

そうです。これはあくまで私の考えですが、例えばアメリカは個人主義の国なので「my country」といっても違和感はないと思います。ですが、韓国は農業やムラ社会など伝統的に共同体を重んじる社会なので、「ウリナラ」という表現がしっくりくるのだと思います。

그렇죠. 이건 어디까지나 제 생각이지만, 예를 들면 미국은 개인주의 국가이기 때문에 'my country'라고 해도 위화감이 없을 것 같습니다. 하지만 한국은 농업이나 농촌사회 등 전통적으로 공동체를 중시하는 사회이기 때문에 '우리나라'라는 표현이 더 자연스러운 것 같습니다.

なるほど。「ウリ　ナラ」のように分かち書きをしないんですか?

그렇군요. '우리 나라'처럼 띄어쓰기를 안 하나요?

分かち書きをしてしまうと、それは例えばゲームとかで領地を争うときなどに「ここは私たちの国だ」というようなニュアンスになります。「韓国」のことを指すときは、分かち書きをしない「ウリナラ」が固有名詞なんです。

띄어쓰기를 하면 그건 예를 들어, 게임 등에서 영지를 다툴 때 '여기는 우리 나라다' 같은 뉘앙스가 됩니다. '한국'을 가리킬 때는 띄어쓰기를 하지 않는 '우리나라'가 고유명사거든요.

書き方にも意味が込められているんですね。「ウリ」ではなくて「チョイ」を使ってもいいのでしょうか?

쓰는 방법에도 의미가 담겨 있군요. '우리'가 아니라 '저희'를 사용해도 될까요?

……ナオミさん。それを使ったら大問題です。「チョイ」は謙譲語でへりくだる表現なので、国を低くしてはいけません。過去に「チョイナラ」と言って非難を浴びた芸能人たちもいました。韓国人にとっては敏感で大切な問題なんです。

……나오미 씨. 그렇게 쓰면 큰 문제가 돼요. '저희'는 겸양어로 겸손한 표현이기 때문에 나라를 낮추어 지칭하면 안 됩니다. 과거에 '저희나라'라고 해서 비난을 받은 연예인들도 있었어요. 한국인에게는 민감하고 중요한 문제거든요.

その芸能人たちは普段「チョイ」を使い慣れているから言ってしまったのかもしれませんが、それだけ韓国の人は国を大切に思っているということですね。

그 연예인들은 평소에 '저희'라는 말을 습관처럼 말해서 그랬을지도 모르지만 그만큼 한국사람들은 나라를 중요하게 생각한다는 거겠죠.

챕터 **3**
한국의 정치

Chapter **3**
韓国の政治

한국의 민주주의

Q 한국은 민주주의 국가인가?

A 2021년 경제 전문지 <이코노미스트>가 167개국의 민주주의 상태를 조사하여 작성한 '민주주의 지수'에서 한국은 세계 16위로 타이완, 일본과 함께 아시아에서 '완전한 민주주의 국가'로 분류되었다. 이 지수는 '선거 과정과 절차는 자유롭고 공정한가', '정부의 기능은 합리적인가', '시민들의 정치 참여는 자유로운가', '정치 문화는 발전하고 있는가', '시민은 온전한 자유와 권리를 인정받고 있는가' 의 다섯 가지 범주에 대해 수량화한 것이다. 하지만 한국은 두 번의 쿠데타, 두 번의 종신 집권 기도, 세 번의 국회 강제해산, 아홉 번의 헌법 개정 등 지금의 민주주의를 이루기 위해 파란만장한 역사를 겪어야 했다.

韓国の民主主義

Q 韓国は民主主義国家なのか？

A　2021年、経済専門誌『エコノミスト』が167か国の民主主義状態を調査して作成した「民主主義指数」で、韓国は世界16位で台湾、日本[*]とともにアジアで「完全な民主主義国家」に分類された。この指数は「選挙過程と手続きは自由で公正なのか」、「政府の機能は合理的なのか」、「市民の政治参加は自由なのか」、「政治文化は発展しているのか」、「市民は完全な自由と権利を認められているのか」の5つのカテゴリーに対して数量化したものだ。しかし、韓国は2度のクーデター、2度の終身政権の企図、3度の国会強制解散、9度の憲法改正など、今の民主主義を成し遂げるために波乱万丈の歴史を経験しなければならなかった。

[*] 台湾は8位、日本は17位。

Q 민주주의가 되기 전에는 어떤 상황이었나?

A 35년간의 일본 식민지 지배에서 해방된 이후, 한국에는 최초로 민주주의 제도가 도입되었다. 하지만 남북 분단과 전쟁으로 인한 극심한 좌우 대립, 군부의 쿠데타 등 한국의 민주주의는 그 기반이 매우 취약했다. 한국의 초대 대통령 이승만은 종신 집권을 목적으로 부정선거를 저질렀고 이에 항거하는 시민들의 저항으로 1960년 대통령직에서 하야했다. 이를 '4·19 혁명'이라고 부른다. 하지만 불과 1년 후인 1961년, 군인이었던 박정희의 쿠데타로 한국에 군부정권이 성립되고 이후 18년 동안 군부 독재정권이 유지되었다. 이승만과 마찬가지로 종신 집권을 기도하던 박정희는 1979년 직속 부하에 의해 암살당했고, 이후 민주주의를 갈망하던 시민들의 바람과는 달리 이번에는 전두환이라는 군인에 의한 쿠데타가 다시 발생하여 1980년 이른바 신군부정권이 들어섰다. 오랫동안의 군부 독재정권에 시달리던 시민들은 1987년 6월 전국적인 규모의 시위를 일으켜, 국민의 선거로 직접 대통령을 선출할 수 있는 '대통령 직선제' 헌법 개정을 쟁취해낸다. 이를 '6월 민주 항쟁'이라고 부른다. 1987년에 개정된 이 헌법은 현재까지 대한민국 헌법으로 유지되고 있다.

戦闘警察の催涙弾によって亡くなり「6月民主抗争」の象徴となった学生運動家・李韓烈の運柩行列に従って、ソウル市庁舎前広場で開かれた大衆集会の様子。

Q 民主主義になる前は どんな状況だったのか？

A 35年間の日本の植民地支配から解放されて以来、韓国では初めて民主主義制度が導入された。しかし、南北分断と戦争による深刻な左右対立、軍部のクーデターなど、韓国の民主主義はその基盤が非常に脆弱だった。韓国の初代大統領李承晩（イ スンマン）は終身政権を目的に不正選挙を行い、これに抵抗する市民の抵抗で1960年に大統領職から下野した。これを「4・19革命」と呼ぶ。しかし、わずか1年後の1961年、軍人だった朴正熙（パクチョン ヒ）のクーデターで韓国に軍部政権が成立し、その後18年間軍部独裁政権が維持された。李承晩と同様に終身政権を企てた朴正熙は1979年直属の部下によって暗殺され、以後民主主義を渇望していた市民の願いとは異なり、今度は全斗煥（チョンドゥファン）という軍人によるクーデターが再び発生し、1980年いわゆる新軍部政権が発足した。長い間軍部独裁政権に苦しめられた市民たちは1987年6月、全国的な規模のデモを起こし、国民の選挙で直接大統領を選出できる「大統領直選制」憲法改正を勝ち取る。これを「6月民主抗争」と呼ぶ。1987年に改正された同憲法は、現在まで大韓民国憲法で維持されている。

朴正熙

全斗煥

Q 중앙정부와 지방정부의 관계는?

A 한국은 지방자치제도의 도입으로 중앙정부와 지방정부가 나뉘어 있고, 지방정부는 중앙정부로부터 자치권을 부여받아 자율성을 가지고 정책을 추진한다. 한국에서 지방정부는 '지방자치단체', 줄여서 '지자체'라고 부른다. 지자체는 다시 광역자치단체와 기초자치단체로 나뉘는데, 현재 한국의 광역자치단체는 17개(특별시, 광역시, 도, 특별자치시, 특별자치도), 기초자치단체는 226개(시, 군, 구)가 있다.

Q 어떤 정당이 있는가?

A 2022년 현재 한국의 정당은, 여당인 '국민의힘'과 거대 야당인 '더불어민주당'을 비롯하여 '정의당'등의 군소정당이 활동하고 있다. 한국의 정당은 그 명칭이 자주 바뀌어 일본의 '자민당'과 같은 오랜 역사를 갖고 있지 않은 것처럼 보이지만, 사실상 그 원류를 따져보면 크게 보수계 정당과 진보계(민주계) 정당으로 나눌 수 있다. 현재 윤석열 정부의 여당은 보수계, 지난 문재인 정부의 여당은 진보계 정당이었다. 1987년 민주화 이후 보수계 정당 출신의 대통령은 김영삼, 이명박, 박근혜, 윤석열이고 진

Q 中央政府と地方政府の関係は？

A 韓国は地方自治制度の導入で中央政府と地方政府が分かれており、地方政府は中央政府から自治権を与えられ、自律性を持って政策を推進する。韓国では地方政府は「地方自治団体」、略して「地自体」と呼ぶ。地自体はさらに広域自治団体と基礎自治団体に分かれるが、現在韓国の広域自治団体は17個（特別市、広域市、道、特別自治市、特別自治道）、基礎自治団体は226個（市、郡、区）がある。

Q どんな政党があるのか？

A 2022年現在、韓国の政党は与党である「国民の力」と巨大野党である「共に民主党」をはじめ、「正義党」等の群小政党が活動している。韓国の政党は、その名称が頻繁に変わり、日本の「自民党」のような長い歴史を持っていないように見えるが、事実上、その源流を考えると、大きく保守系政党と進歩系（民主系）政党に分けられる。現在、尹錫悦政府の与党は保守系、文在寅政府の与党は進歩系政党だった。1987年の民主化以降、保守系政党出身

보계 정당 출신의 대통령은 김대중, 노무현, 문재인이었다. 그 밖에 노동계나 시민사회단체 등을 대변하는 군소정당이 있으나 그 영향력은 크지 않다.

ソウルにある青瓦台は2022年5月まで韓国大統領府が置かれていた。現在は市民公園として一般公開されている。

■韓国の歴代大統領

代	氏名	政党	在任	政体	備考
1	李承晩	保守系	1948.7/20 ～1960.4/26	第一共和国 (大統領制)	・独立運動家出身。 ・憲法改正により直接選挙制、三選禁止を撤廃。三度の再任を果たす。 ・1960年に強行した不正選挙への反発（4・19革命）で失脚し、米国に亡命。
2					
3					
4	尹潽善	進歩系	1960.8/13 ～1962.3/22	第二共和国 (議院内閣制)	・ソウル特別市第2代市長。 ・憲法改正により国会議員の間接選挙で選出。 ・朴正煕による「5・16軍事クーデター」で体制が崩壊。
5	朴正煕	保守系	1963.12/17 ～1979.10/26	第三共和国 (大統領制)	・陸軍少将のときに軍事クーデターを主導し、国家再建最高会議（軍事政権）の実権を掌握。 ・民政に移行後、憲法改正により三選禁止を撤廃。四度の再任で長期独裁政権を構築。
6					
7					
8				第四共和国 (大統領制)	・計画経済の導入、ベトナム戦争参戦によるドル資金、日韓基本条約による円借款などで「漢江の奇跡」をもたらす。 ・1979年の「10・26事件」で暗殺された。
9					
10	崔圭夏	無所属	1979.12/8 ～1980.8/16		・朴政権時の首相。 ・1979年の「12・12軍事反乱」で軍部の実権を掌握した全斗煥・盧泰愚による1980年の「5・17クーデター」で体制が崩壊。
11	全斗煥	保守系	1980.9/1 ～1988.2/24	第五共和国 (大統領制)	・1980年に起きた市民による民主化要求のデモ（光州事件）を鎮圧。 ・1987年の「6月民主抗争」により、体制が崩壊。
12					

の大統領は金泳三（キムヨンサム）、李明博（イミョンバク）、朴槿恵（パククネ）、尹錫悦で、進歩系
政党出身の大統領は金大中、盧武鉉（ノムヒョン）、文在寅だった。そ
の他に労働界や市民社会団体などを代弁する群小政党があ
るが、その影響力は大きくない。

13	盧泰愚	保守系	1988.2/25〜1993.2/24	第六共和国（大統領制）	・憲法改正により16年ぶりの直接選挙で選出。
14	金泳三	保守系	1993.2/25〜1998.2/24		・32年ぶりの文民政権。 ・政権末期の1997年にアジア金融危機が発生し、IMFおよび先進国による金融支援が行われた。
15	金大中	進歩系	1998.2/25〜2003.2/24		・民主化運動家出身。 ・北朝鮮に対する「太陽政策」（緊張緩和政策）により、2000年に南北首脳会談を実現。ノーベル平和賞を受賞した。
16	盧武鉉	進歩系	2003.2/25〜2004.3/12 2004.5/14〜2008.2/24		・歴代で初めて日本統治時代を経験していない。 ・人権派弁護士出身。 ・2004年の3月12日〜5月14日まで、国会の大統領弾劾訴追により権限を停止された。 ・退任後、在任中の収賄疑惑の捜査を受けたのちに投身自殺。
17	李明博	保守系	2008.2/25〜2013.2/24		・若くして零細企業を韓国有数の企業に押し上げた、立身出世の経済人として著名。 ・退任後、在任中の収賄・横領により有罪判決を受けた。
18	朴槿恵	保守系	2013.2/25〜2016.12/9		・朴正煕の娘であり、初の女性大統領および親子2代での大統領。 ・2014年のセウォル号沈没事件での対応や、2016年の国勢壟断（崔順実ゲート）事件により、史上初の弾劾による罷免で任期を全うできなかった。
19	文在寅	進歩系	2017.5/10〜2022.5/9		・人権派弁護士出身。
20	尹錫悦	保守系	2022.5/10〜現職		・文在寅政権下では検察総長として権力に屈しない「反骨検事」として名を馳せた。

Q 선거 시스템은?

A 한국의 선거는 대통령선거, 국회의원선거, 지방선거로 나뉘어 있다. 헌법상 대통령의 임기는 5년이며 연임할 수 없기에 매 5년마다 선거가 치러지고, 선거권을 가진 전 국민이 직접 선출하는 '대통령 직선제' 방식이다. 한국의 국회는 단원제(일본과 같은 참의원, 중의원이 없다)이며 국회의원의 임기는 4년이다. 국회의원은 정원이 300명이고 그중 253석은 소선거구제에 의한 지역구 의원을, 47석은 정당 투표에 의한 득표율에 따라서 비례대표 의원을 선출한다. 따라서 매 4년마다 전체 국회의원을 새로 선출하는 선거가 치러진다. 그 밖에 각 광역자치단체장, 기초자치단체장을 선출하는 지방선거도 매 4년마다 치러진다.

Q 選挙システムは？

A 韓国の選挙は大統領選挙、国会議員選挙、地方選挙に分かれている。憲法上、大統領の任期は5年であり再任できないため、5年ごとに選挙が行われ、選挙権を持つ全国民が直接選出する「大統領直選制」方式だ。韓国の国会は単元制（日本のような参議院、衆議院がない）であり、国会議員の任期は4年だ。国会議員は定員が300人で、そのうち253席は小選挙区制による地方区議員を、47席は政党投票による得票率によって比例代表議員を選出する。したがって、4年ごとに全体国会議員を新たに選出する選挙が行われる。その他、広域自治団体長、基礎自治団体長を選出する地方選挙も4年ごとに行われる。

Q 젊은이의 투표율은 어느 정도인가?

A 한국은 건국 이후 1990년대까지는 높은 투표율을 보여 왔다. 그러나 대통령선거 투표율은 2000년대 들어, 국회의원선거 와 지방선거 투표율은 1990년대부터 낮아지기 시작했다. 최근 들어서는 국회의원선거(2012년 54.2%에서 2020년 66.2%)와 대통령선거(2007년 63.0%에서 2017년 77.2%)에서 투표율이 다시 높아지는 변화가 나타났다.

한국에서 젊은 유권자라고 하면 흔히 2030세대, 즉 20대와 30대를 말한다. 2017년 대통령선거 때 20대는 76.1%, 30대는 74.2%의 투표율을 기록해 역대 대통령선거 중 가장 높은 투표율을 보였다. 하지만 이때는 대통령 탄핵이라는 한국 역사상 유래 없는 사건으로 인해 정치적 관심이 높아졌기 때문이며, 젊은이의 정치적 무관심, 정치 혐오 등은 여러 우려를 낳고 있다.

Q 선거운동 중 거리에서 노래를 부르거나 춤을 추는 이유는?

A 과거 한국의 선거운동은 넓은 장소에 수많은 사람을 끌어모아 자신의 세력을 과시하는 형태를 띠고 있었다. 그렇기에 자

Q 若者の投票率はどれくらいか？

A 韓国は建国後1990年代までは高い投票率を見せ
てきた。しかし、大統領選挙の投票率は2000年代に入り、
国会議員選挙と地方選挙の投票率は1990年代から低くな
り始めた。最近では、国会議員選挙（2012年の54.2%か
ら2020年は66.2%）と大統領選挙（2007年の63.0%から
2017年は77.2%）で投票率が再び高まる変化が見られた。

韓国で若い有権者と言えば、よく2030世代、すなわち
20代と30代を指す。2017年の大統領選挙のとき、20代
は76.1%、30代は74.2%の投票率を記録し、歴代大統領選
挙の中で最も高い投票率を示した。しかし、このときは大
統領弾劾という韓国史上類を見ない事件によって政治的関
心が高まったためであり、若者の政治的無関心、政治嫌悪
などは様々な憂慮を生んでいる。

Q 選挙運動中に街で歌を歌ったり 踊ったりする理由は？

A かつて、韓国の選挙運動は広い場所に多くの人を
集め、自分の勢力を誇示する形をしていた。そのため、自

신의 경쟁자보다 더욱 많은 사람들을 모이게 하기 위해 연예인을 동원하거나, 확성기를 통한 홍보, 노래와 춤 등이 유세 현장의 흔한 모습이었다. 하지만 조용한 주택가에서 확성기를 통해 연설하거나 후보를 홍보하는 노래를 트는 등의 선거 유세는 점차 유권자의 외면을 받아 사라지고 있고, 그 대신에 SNS나 유튜브를 활용한 인터넷 유세로 옮겨가고 있는 추세이다. 최근 선거에서는 3무, 즉 마이크(대중 연설), 노래(후보자의 로고송), 춤이나 율동이 없는 선거 유세가 이슈가 되었다.

Q 한국 대통령의 역할은?

A 헌법상 한국의 대통령은 국가의 원수이며, 외국에 대하여 한국을 대표한다. 대통령은 국가의 독립·영토의 보전·국가의 계속성과 헌법을 수호할 책무를 진다. 대통령은 조국의 평화적 통일을 위한 성실한 의무를 진다. 행정권은 대통령을 수반으로 하는 정부에 속한다. 대통령은 조약을 체결·비준하고, 외교사절을 신임·접수 또는 파견하며, 선전포고와 강화를 한다. 대통령은 헌법과 법률이 정하는 바에 의하여 국군을 통수한다. 그 밖에도 대통령은 국무총리, 대법원장 등의 헌법기관을 임명할 수 있고, 입법, 사법, 행정에 대한 여러 권한을 가진다.

分のライバルよりさらに多くの人を集まらせるために芸能人を動員したり、拡声器を通じた広報、歌とダンスなどが遊説現場のありふれた姿だった。しかし、静かな住宅街で拡声器を通じて演説したり、候補を広報する歌を流すなどの選挙遊説は、次第に有権者からそっぽを向かれて消えつつあり、その代わりに SNS や YouTube を活用したインターネット遊説に移りつつある。最近の選挙では3無、つまりマイク（大衆演説）、歌（候補者のロゴソング）、踊りやリズムのない選挙遊説が話題になった。

Q 韓国大統領の役割は？

A 憲法上、韓国の大統領は国家の元首であり、外国に対して韓国を代表する。大統領は国家の独立・領土の保全・国家の継続性と憲法を守護する責務を負う。大統領は祖国の平和的統一のための誠実な義務を負う。行政権は大統領を首班とする政府に属する。大統領は条約を締結・批准し、外交使節を信任・受付または派遣し、宣戦布告と強化を行う。大統領は憲法と法律の定めるところにより国軍を統帥する。その他にも大統領は首相、最高裁長官などの憲法機関を任命することができ、立法、司法、行政に対する様々な権限を持つ。

대통령은 취임에 즈음하여 다음의 선서를 한다. "나는 헌법을 준수하고 국가를 보위하며 조국의 평화적 통일과 국민의 자유와 복리의 증진 및 민족문화의 창달에 노력하여 대통령으로서의 직책을 성실히 수행할 것을 국민 앞에 엄숙히 선서합니다."

Q 대통령과 의회의 관계는?

A 일본과 같은 의원내각제하에서는 의회의 다수당에서 수상을 선출하고, 그 수상이 내각을 구성하여 의회와 내각이 긴밀한 관계를 맺고 국가를 운영하는 반면, 한국의 대통령제는 입법부와 행정부가 엄격히 분리되어 국정을 운영하는 정부 형태이다. 국민들은 국회의원선거와 대통령선거를 통해 각각 대표자를 선출하고 이에 따라 당선된 대통령은 행정부의 각료(장관)를 임명하여 행정부를 구성한다. 즉, 입법부와 행정부가 따로 구성되어 견제와 균형을 이루는 정부 형태이다.

大統領は就任に際して次の宣誓をする。「私は憲法を遵守し国家を保衛し、祖国の平和的統一と国民の自由と福利の増進および民族文化の暢達に努め、大統領としての職責を誠実に遂行することを国民の前に厳粛に宣誓します」。

Q 大統領と議会の関係は？

　A　日本のような議院内閣制の下では議会の多数党から首相を選出し、その首相が内閣を構成して議会と内閣が緊密な関係を結んで国家を運営する反面、韓国の大統領制は立法府と行政府が厳格に分離して国政を運営する政府形態だ。国民は国会議員選挙と大統領選挙を通じてそれぞれ代表者を選出し、これによって当選した大統領は行政府の閣僚（長官）を任命して行政府を構成する。すなわち、立法府と行政府が別に構成され牽制と均衡を成す政府形態だ。

Q 대통령이 바뀌면 정책도 전부 달라지는가?

A 한국의 대통령은 국민이 직접 선출하기 때문에, 대통령 선거에 나선 후보들은 각자 자신이 당선되면 시행할 정책을 발표하고 이를 통해 국민의 지지를 호소한다. 대통령 후보는 각 정당을 대표하여 선거에 나설 수도 있지만, 어느 정당에도 속하지 않은 무소속 후보도 선거에 나올 수 있다. 이렇게 각자 자신의 정책을 가지고 선거에 임하기에 국민의 선택에 따라 기존의 정책이 바뀌거나 유지, 개선될 여지가 많이 있다. 특히 '정권 교체', 즉 기존의 여당과 야당이 바뀌는 경우에는 많은 이전 정부의 정책이 폐지되거나 수정되고 새로운 정책이 시행된다.

Q 大統領が変われば政策も全部変わるのか？

A 韓国の大統領は国民が直接選出するため、大統領選挙に出馬した候補たちはそれぞれ自分が当選すれば施行する政策を発表し、これを通じて国民の支持を訴える。大統領候補は各政党を代表して選挙に出ることもできるが、どの政党にも属していない無所属候補も選挙に出ることができる。このようにそれぞれ自分の政策を持って選挙に臨むため、国民の選択によって既存の政策が変わったり維持、改善される余地が多くある。特に「政権交代」、すなわち既存の与党と野党が変わる場合には多くの前政権の政策が廃止されたり修正され新しい政策が施行される。

한국의 법체계와 인권

Q 한국의 헌법은?

A 1948년 대한민국의 성립과 함께 제정된 대한민국 헌법은 이후 총 아홉 차례의 개정을 거쳐 현재에 이르고 있다. 현행 헌법은 1987년 민주화 운동의 결과 개정된 헌법으로 유일하게 10년 이상 유지된 헌법임과 동시에 역대 최장수 헌법이다. 현행 헌법의 가장 주요한 개정 내용은 '대통령 직선제'와 '5년 단임제'라고 할 수 있다. 과거 몇 차례의 쿠데타와 독재정권을 경험한 한국인에게 국가의 최고 권력자를 자신의 손으로 선출하는 것과 장기 독재를 방지하는 것은 무엇보다 중요한 문제였다. 만약 헌법을 개정하여 대통령의 연임을 가능하게 하거나 임기를 늘리더라도 현직 대통령에게는 적용되지 않고 다음 번 대통령부터 적용되는 방지 조항도 갖추고 있다.

韓国の法体系と人権

Q 韓国の憲法は？

A　1948 年の大韓民国の成立とともに制定された大韓民国憲法は、以後計 9 回の改正を経て現在に至っている。現行憲法は 1987 年の民主化運動の結果で改正された憲法で、唯一 10 年以上維持された憲法であると同時に歴代最長の憲法だ。現行憲法の最も主要な改正内容は「大統領直選制」と「5 年単任制」と言える。過去数回のクーデターと独裁政権を経験した韓国人に国家の最高権力者を自分の手で選出することと長期独裁を防止することは何よりも重要な問題だった。もし憲法を改正して大統領の再任を可能にしたり任期を延ばしても現職大統領には適用されず、次回大統領から適用される防止条項も備えている。

Q 경찰제도의 특징은?

A 한국에서 경찰 업무를 담당하는 조직은 대한민국 경찰청과 그 산하기관, 대한민국 해양경찰청과 그 산하기관 등이 있다. 민간인의 총기 소지가 엄격히 금지되어 있는 한국에서 경찰은 권총 등 총기류를 적법하게 소지할 수 있는 권한이 있다.

Q 재판제도의 특징은?

A 한국의 재판제도는 크게 민사재판, 형사재판, 행정재판, 헌법재판 등 네 가지로 분류된다. 이 가운데 민사, 형사, 행정재판은 법원에 의해 진행되고 국회가 제정한 법률을 기초로 옳고 그름을 판단하는 절차이다. 민사재판은 '변론주의'가 적용되어 법원은 원칙적으로 당사자 사이의 공방에 관여하지 않고 지켜보기만 하다가 그 결과를 종합하여 판결을 내린다. 형사재판은 검사와 피고인이 당사자가 되어 공방을 주고 받는다. 한국은 오로지 검사가 기소하기로 결정한 사건만 법원의 재판을 받게 되는 기소독점주의를 채택하고 있기에 검사는 실질적으로 1차적인 유죄, 무죄의 판단기관이 된다.

한국의 재판제도는 3심제로 1심 지방법원, 2심 고등법원, 3심

Q 警察制度の特徴は？

A 韓国で警察業務を担当する組織は大韓民国警察庁とその傘下機関、大韓民国海洋警察庁とその傘下機関などがある。民間人の銃器所持が厳しく禁止されている韓国では、警察は拳銃などの銃器類を適法に所持できる権限がある。

Q 裁判制度の特徴は？

A 韓国の裁判制度は大きく民事裁判、刑事裁判、行政裁判、憲法裁判の4つに分類される。このうち民事、刑事、行政裁判は裁判所によって進められ、国会が制定した法律に基づいて是非を判断する手続きだ。民事裁判は「弁論主義」が適用され、裁判所は原則的に当事者間の攻防に関与せず見守るだけで、その結果を総合して判決を下す。刑事裁判は検事と被告人が当事者となって攻防を交わす。韓国はひたすら検事が起訴することに決めた事件だけが裁判所の裁判を受けることになる起訴独占主義を採用しているため、検事は実質的に一次的な有罪、無罪の判断機関になる。

韓国の裁判制度は3審制で、1審地方裁判所、2審高等

대법원의 세 번의 재판을 받을 수 있다. 그 밖에 헌법재판은 헌법
재판소가 진행하고 국회가 제정한 법률이 헌법에 위반되는지 여
부를 판단한다. 헌법재판은 단심제이다. 헌법에는 "법관은 헌법과
법률에 의하여 그 양심에 따라 독립하여 심판한다"라는 규정이
있어서, 사법부 독립에 대해 명시하고 있다.

Q 재판에 국민이 참가할 수 있는가?

A 한국은 국민참여재판제도라는 배심원 재판제도를 가지
고 있다. 2008년 1월부터 실시된 이 제도는 만 20세 이상의 국민
중 무작위로 선정되어 형사재판에서 사실의 인정, 법령의 적용 및
형의 양정에 관한 의견을 판사에게 제시하게 된다. 배심원의 평결
은 법원의 판결에 대해 법적으로 구속하는 힘은 없다. 그러나 재
판장은 배심원의 평결 결과와 다른 판결을 선고하는 때에는 피고
인에게 그 이유를 설명해야 하며, 판결서에 그 이유를 기재해야
한다. 국민참여재판을 통해 국민의 사법참여를 보장할 수 있고,
유전무죄, 전관예우와 같은 사법부에 대한 불신을 씻을 수 있다.

裁判所、3審最高裁判所の3回の裁判を受けることができる。その他に憲法裁判は憲法裁判所が進め、国会が制定した法律が憲法に違反するかどうかを判断する。憲法裁判は単審制だ。憲法には「裁判官は憲法と法律によりその良心に従って独立して審判する」という規定があり、司法府独立について明示している。

Q 裁判に国民が参加できるか？

A 韓国は国民参与裁判制度という陪審員裁判制度を持っている。2008年1月から実施された同制度は、満20歳以上の国民の中から無作為に選定され、刑事裁判で事実の認定、法令の適用及び刑の量定に関する意見を判事に提示することになる。陪審員の評決は、裁判所の判決に対して法的に拘束する力はない。しかし、裁判長は陪審員の評決結果と異なる判決を言い渡す際には、被告人にその理由を説明しなければならず、判決書にその理由を記載しなければならない。国民参与裁判を通じて国民の司法参加を保障でき、有銭無罪、前官礼遇*のような司法府に対する不信を拭うことができる。

*「有銭無罪」は罪を犯しても富裕層は無罪になるということ。「前官礼遇」は高い官職の人物が、退官後も同様の待遇を受けること。韓国では主に裁判官や検察から転身した弁護士をなるべく裁判で勝たせようとする悪習を指す。

Q 사형제도는 있는가?

A 한국은 법률상 사형제도를 유지하고 있지만, 1997년 12월 30일을 마지막으로 사형 집행이 이루어지지 않고 있다. 2007년 12월에는 국제엠네스티에서 '10년 이상 사형 집행이 이루어지지 않는 국가'에게 주어지는 '실질적 사형폐지국'으로 분류되었다. 그럼에도 사형을 규정한 법률을 유지하는 이유는, 사회적으로 큰 물의를 빚은 강력 범죄자들은 사형에 처해야 한다는 국민의 의견이 더 높기 때문이다. '2015년 국민 법의식 조사'에 따르면, 사형제도 폐지에 찬성하는 의견은 34.2%, 반대하는 의견은 65.2%로 과반수가 사형제 폐지를 반대하고, 흉악범에 대한 사형 집행을 원하고 있다. 따라서 실제 사형 집행이 이루어지지 않는다고는 해도, 사형에 해당하는 범죄를 저지른 자에 대한 사형선고는 현재도 이루어지고 있다.

Q 死刑制度はあるのか？

A 　　韓国は法律上死刑制度を維持しているが、1997
年12月30日を最後に死刑執行が行われていない。2007
年12月には国際アムネスティで「10年以上死刑執行が行
われない国」に与えられる「実質的死刑廃止国[*]」に分類
された。それでも死刑を規定した法律を維持する理由は、
社会的に大きな物議をかもした凶悪犯罪者たちは死刑に処
さなければならないという国民の意見がさらに高いため
だ。「2015年国民法意識調査」によると、死刑制度廃止に
賛成する意見は34.2%、反対する意見は65.2%で過半数が
死刑制度廃止に反対し、凶悪犯に対する死刑執行を望んで
いる。したがって、実際に死刑執行が行われないとはいえ、
死刑に該当する罪を犯した者に対する死刑宣告は現在も行
われている。

＊死刑が執行さ
れない韓国で
実質の最高刑
は無期懲役で
ある。

한국의 내정

Q 국가예산의 규모와 수지는 어느 정도?

A 한국의 국가예산은 2022년 최초로 600조 원을 돌파했다. 2023년도 예산안은 639조 원 규모로, 2010년 이후 계속 증가하고 있다. 이에 반해, 그간의 글로벌 경제위기, 코로나19 등의 영향으로 국가부채 또한 지속적으로 증가하여 2022년 1,000조 원을 돌파했다. 이로 인해, 한편에서는 재정건전성을 위해 긴축을 해야 한다는 의견과 경기침체에 직면한 상황에서 확장적 재정정책을 펼쳐야 한다는 주장이 대립하고 있다.

Q 조세제도의 특징은?

A 한국은 조세의 종목과 세율을 법률로 규정하는 조세법률주의를 채택하고 있다. 조세는 크게 국가가 과세권을 가지는 '국세'와 지방자치단체가 과세권을 가지는 '지방세'로 구분된다. 일본

韓国の内政

Q 国家予算の規模と収支はどのくらい？

A 韓国の国家予算は 2022 年に初めて 600 兆ウォンを突破した。2023 年度予算案は 639 兆ウォン規模で、2010 年以降増え続けている。これに対し、これまでのグローバル経済危機、新型コロナウイルスなどの影響で国家負債も持続的に増加し、2022 年に 1,000 兆ウォンを突破した。このため、一方では財政健全性のために緊縮をしなければならないという意見と景気低迷に直面した状況で拡張的財政政策を展開しなければならないという主張が対立している。

Q 税制の特徴は？

A 韓国は租税の種目と税率を法律で規定する租税法律主義を採択している。租税は大きく国家が課税権を持つ「国税」と地方自治体が課税権を持つ「地方税」に区分さ

의 소비세에 해당하는 한국의 부가가치세는 10%로, 상품가격에
포함된 형태로 표기된다.

Q 교육제도의 특징은?

A 대한민국의 교육은 분야가 크게 유아교육, 초등교육, 중
등교육, 고등교육, 평생교육으로 나뉘고, 초등교육 6년과 중등교
육 3년은 의무교육이다. 학제는 6·3·3·4제로, 모든 학생이 동일
한 학교 계통을 밟을 수 있게 하는 단선형 학제이다. 상당히 높은
교육열에 힘입어 거의 대부분의 학생이 초등학교, 중학교, 고등학
교에 진학하며, 대학 진학률은 70% 정도에 달한다.

れる。日本の消費税に当たる韓国の付加価値税は 10% で、商品価格に含まれた形で表記される。

Q 教育制度の特徴は？

A 大韓民国の教育は分野が大きく幼児教育、初等教育、中等教育、高等教育、生涯教育に分かれ、初等教育 6 年と中等教育 3 年は義務教育である。学制は 6・3・3・4 制で、すべての生徒が同じ学校系統を踏めるようにする単線型学制だ。かなり高い教育熱に支えられ、ほとんどの学生が小学校、中学校、高等学校*に進学し、大学進学率は 70% ほどに達する。

＊高等学校は大きく一般高校と特性化高校（商業・工業などの実業系）に分かれ、主に学区に基づき内申書と適性試験、居住地域によって振り分けられる（日本でいう高校入試がない）。芸術高等学校・体育・科学・外国語といった特殊目的高校には入学者選抜試験があり、名門大学へのエリートコースとして熾烈な競争となる。

Q 한국은 몇 학기제인가?

A 2학기제를 시행하는 한국의 초·중·고등학교에서는 3월에 신학년이 시작되어 7월에 1학기가 끝나고 한 달여의 여름방학후, 8월에 2학기가 시작되어 12월 중순까지 이어지다가 연말에 겨울방학에 들어간다. 2학기는 2월에 재시작하여 2월 말에 학년을 끝낸다. 2월 말부터 다음 학년이 시작되는 3월까지의 약 일주일 간의 기간을 봄방학이라고 부른다. 따라서 한국에서는 여름과 겨울이 모두 학년에 포함되며 학년에 포함되지 않는 기간은 2월말의 일주일이 유일하다. 대학교는 2월 학사일정이 없으므로 12월 중하순에 학년도가 끝난다. 대학교는 3월부터 6월 중하순까지가 1학기, 9월부터 12월 중하순까지가 2학기이다.

Q 韓国は何学期制か?

A 2学期制を施行する韓国の小・中・高校では3月に新学年が始まり、7月に1学期が終わって1か月余りの夏休みの後、8月に2学期が始まり12月中旬まで続き、年末に冬休みに入る。2学期は2月に再スタートし、2月末に学年を終える。2月末から次の学年が始まる3月までの約1週間の期間を春休みと呼ぶ。したがって韓国では夏と冬が全て学年に含まれ、学年に含まれない期間は2月末の一週間が唯一だ。大学は2月の学事日程がないため、12月中下旬に学年度が終わる。大学は3月から6月中下旬までが1学期、9月から12月中下旬までが2学期だ。

한국의 복지와 건강

Q 건강보험제도는 있는가?

A 한국은 '국민건강보험'이라는 건강보험제도를 가지고 있다. 현재 한국은 일단 출생신고를 하면 강제적으로 보험에 가입되는 의료보험 당연지정제를 시행하고 있다. 일반적으로 의료기관의 규모와 종류, 소재지에 따라 자기부담금은 30~60%, 입원 시 일률 20% 이다. 외국인들도 마찬가지여서 일정한 체류 자격을 갖춘 외국인들도 6개월 이상 체류할 경우 강제 가입해야 하며, 이를 거부하면 한국에서 추방 또는 일정 기간 동안의 입국금지를 당할 수 있다. 외교 및 공무 목적으로 온 외국인과 관광 등의 단기 체재의 외국인은 예외이다.

韓国の福祉と健康

Q 健康保険制度はあるのか?

A 韓国は「国民健康保険」という健康保険制度を持っている。現在、韓国はいったん出生届を出せば、強制的に保険に加入する医療保険当然指定制を施行している。一般的に医療機関の規模や種類、所在地によって、自己負担の割合は30〜60%、入院の場合は一律20%だ。外国人も同様で、一定の滞在資格を持つ外国人も6か月以上滞在する場合、強制加入しなければならず、これを拒否すれば、韓国から追放または一定期間の入国禁止を受けることになる。ただし、外交や公務目的で来た外国人や観光などの短期滞在の外国人は例外だ。

Q 한국인의 평균수명은?

A 한국인의 평균(기대)수명은 경제의 비약적 발전으로 다른 나라에 비해 빠르게 증가해왔다. 1960년 52.4세에 불과했던 평균수명이 1990년에는 71.4세, 2016년에는 82.4세, 2020년에는 83.5세로 늘면서 OECD 32개국 가운데 일본(84.7세)에 이어 2위를 차지했다. 2020년 현재 한국 남자의 평균수명은 80.5년, 여자는 86.5년으로 남녀의 평균수명 격차는 6년으로 나타났다.

Q 출산율은 어느 정도인가?

A 2021년 한국의 합계출산율(15~49세 여성 1명이 평생 낳을 것으로 예상되는 출생아 수의 평균)은 0.81명으로 역대 최저치를 기록했다. 통계에 따르면, 2021년 한 해 동안의 출생아 수는 26만 500명으로, 통계 작성을 시작한 1970년 이래 가장 낮은 수치였다. 이는 30년 전인 1991년의 70만 9,000명과 비교하면 3분의 1 규모다. 출산율이 감소하는 이유는 혼인 건수가 점차 감소한 데다 출산 연령 또한 높아지고 있기 때문이다. 현재 산모의 평균 출산 연령은 33.4세로 해마다 높아지고 있는 추세이다.

Q 韓国人の平均寿命は？

A 韓国人の平均（期待）寿命は経済の飛躍的発展で、他国に比べて急速に伸びてきた。1960 年は 52.4 歳に過ぎなかった平均寿命が 1990 年には 71.4 歳、2016 年には 82.4 歳、2020 年には 83.5 歳に増え、OECD32 か国のうち日本（84.7 歳）に次いで 2 位を占めた。2020 年現在、韓国男性の平均寿命は 80.5 年、女性は 86.5 年で、男女の平均寿命の格差は 6 年であることが分かった。

Q 出生率はどの程度か？

A 2021 年の韓国の合計出生率（15〜49 歳の女性 1 人が一生産むと予想される出生児数の平均）は 0.81 人で、過去最低を記録した。統計によると、2021 年の 1 年間の出生児数は 26 万 500 人で、統計作成を始めた 1970 年以来最も低い数値だった。これは 30 年前の 1991 年の 70 万 9000 人と比べると 3 分の 1 だ。出生率が減少する理由は婚姻件数が次第に減少したうえ、出産年齢も高くなっているためだ。現在、産婦の平均出産年齢は 33.4 歳と年々高くなっている。

Q 한국인의 사망 원인은?

A 한국의 주요 사망 원인은 암, 심장질환, 폐렴, 뇌혈관질환, 자살, 당뇨병, 알츠하이머병, 간질환 순이다. 암 사망자는 전체의 27.5%(10만 명당 158.2명)로 가장 높은 원인이고, 암종 사망률은 폐암, 간암, 대장암 순이다. 자살률(인구 10만 명당 자살사망자 수)은 26.9명으로 OECD 통계상 가장 높은 수준이다.

Q 흡연율은 높지 않은가?

A 2017년 기준 한국의 만 15세 이상 남성의 흡연율은 31.6%였다. 이는 OECD 주요국 가운데 터키(40.1%) 다음으로 높은 수치이다. 일본(29.4%), 프랑스(25.8%), 스페인(25.6%), 이탈리아(25.1%), 독일(22.3%), 영국(19.1%), 멕시코(12.0%), 미국(11.5%), 스웨덴(10.5%) 등은 10~20%대였다. 반면 만 15세 이상 여성 흡연율은 3.5%로 OECD 최하였다. 이러한 남녀 간 흡연율 차이는 여성 흡연에 대한 부정적인 고정관념이 작용하고 있음을 시사한다. 다만 성인 남성 흡연율이 모든 연령대에서 계속 떨어지고 있다. '현재 흡연율'(평생 담배 5갑 이상 피웠고 현재 담

Q 韓国人の死亡原因は?

A 韓国の主な死亡原因はがん、心臓疾患、肺炎、脳血管疾患、自殺、糖尿病、アルツハイマー病、肝臓疾患の順だ。がん死亡者は全体の 27.5%(10 万人当たり 158.2 人)で最も高い原因であり、がん種別死亡率は肺がん、肝臓がん、大腸がんの順だ。自殺率(人口 10 万人当たり自殺死亡者数)は 26.9 人で OECD 統計上最も高い水準だ。

Q 喫煙率は高いのではないか?

A 2017 年基準で韓国の満 15 歳以上の男性の喫煙率は 31.6% であった。これは OECD 主要国のうちトルコ(40.1%)に次ぐ高い数値だ。日本(29.4%)、フランス(25.8%)、スペイン(25.6%)、イタリア(25.1%)、ドイツ(22.3%)、英国(19.1%)、メキシコ(12.0%)、米国(11.5%)、スウェーデン(10.5%)などは 10〜20% 台だった。一方、満 15 歳以上の女性喫煙率は 3.5% で OECD 最下位だった。このような男女間の喫煙率の差は、女性喫煙に対する否定的な固定観念が作用していることを示唆する。ただ、成人男

배를 피우는 사람의 비율)을 기준으로 볼 때 15세 이상 성인 남성은 1998년 66.3%, 2005년 51.7%, 2010년 48.3%, 2016년 40.7%, 2017년 38.1%로 하락 추세다.

性の喫煙率はすべての年齢帯で下がり続けている。「現在
の喫煙率」（生涯タバコ5箱以上吸っており、現在タバコ
を吸う人の割合）を基準に見ると、15歳以上の成人男性
は1998年66.3%、2005年51.7%、2010年48.3%、2016年
40.7%、2017年38.1%と下落傾向にある。

한국의 외교

Q 한국 외교의 특징은?

A 대한민국의 성립과 그 직후 한국전쟁의 영향으로 한국의 외교는 전적으로 미국에 의존하는 형태를 띠었다. 오늘날에도 한미동맹은 한국 외교의 근간을 이루고 있다. 1965년 일본과의 수교, 1992년 중국과의 수교 이후 한, 중, 일 동아시아 삼국 간의 외교는 한반도의 안보, 경제 등 다방면에 핵심적인 영향을 미치고 있다. 냉전 시대 말기 소련과의 수교 이후에는 북방정책의 일환으로 러시아와 여러 협력 사업을 추진하기도 했다. 동남아시아 국가들과는 아세안 국가를 중심으로 한 남방정책으로 외교적 협력관계를 구축하고 있다.

Q 한국의 대일외교는 어느 정도 중요한가?

A 지리적으로 한국과 가장 가까운 일본은 외교적인 측면에서 상당히 복잡하고 중층적인 관계를 맺고 있으며, 이는 크게 안보, 경제, 역사적 관계로 나눌 수 있다. 북한이라는 공통의 위협요

韓国の外交

Q 韓国外交の特徴は?

A 大韓民国の成立とその直後の朝鮮戦争の影響で、韓国の外交は全面的に米国に依存する形をとっていた。今日でも韓米同盟は韓国外交の根幹を成している。1965年の日本との国交正常化、1992年の中国との国交正常化以降、韓中日東アジア三国間の外交は朝鮮半島の安保、経済など多方面に核心的な影響を及ぼしている。冷戦時代末期のソ連との国交正常化以降は、北方政策の一環としてロシアと様々な協力事業を推進した。東南アジア諸国とは ASEAN 国家を中心とした南方政策で外交的協力関係を構築している。

Q 韓国の対日外交はどの程度重要か?

A 地理的に韓国に最も近い日本は、外交的な面でかなり複雑で重層的な関係を結んでおり、これは大きく安保、経済、歴史的関係に分けられる。北朝鮮という共通の脅威

소를 공유하고 있는 두 국가는 핵과 미사일 등 안보 면에서 긴밀한 협력이 필요한 것이 현실이다. 수출을 경제성장의 근간으로 삼고 있는 두 국가는 경제 면에서도 밀접한 관련이 있다. 그럼에도 양국 간의 외교에 발목을 잡는 것은 역사 문제이다. 과거 한반도를 식민 지배한 역사로 인해 파생된 위안부, 강제징용, 야스쿠니신사 참배, 일본 평화헌법 개정 등의 문제, 영토적으로는 독도(일본명 다케시마)를 둘러싼 양국 간의 갈등이 큰 걸림돌이 되고 있다. 이는 나아가 반일, 혐한 같은 국민감정 대립으로 번질 수 있기에 시급히 해소 방법을 찾아야 한다.

Q 한일청구권협정은 무엇인가?

A 한일청구권협정은 한일기본조약이 체결됨에 따라 대한민국과 일본 사이에 1965년 체결된 협정의 통칭이다. 이 협정에서 일본은 한국에 대해 조선에 투자한 자본과 일본인의 개별 재산 모두를 포기하고, 3억 달러의 무상 자금과 2억 달러의 차관을 지원하고, 한국은 대일 청구권을 포기하는 것에 합의했다. 최근 한일청구권협정과 관련하여, 식민지 시기 조선인 징용공 배상 문제를 둘러싸고 양국은 첨예한 대립을 하고 있다. 청구권협정으로 징용공 배상 문제는 모두 해결되었다는 일본 측 주장과 개별 기업에 대한 배상청구권은 이 협정에 포함되지 않는다는 한국 측 주

要素を共有している両国は、核やミサイルなど安保面で緊密な協力が必要なのが現実だ。輸出を経済成長の根幹としている両国は、経済面でも密接な関連がある。にもかかわらず、両国間の外交に足を引っ張るのは歴史問題だ。過去に朝鮮半島を植民支配した歴史によって派生した、慰安婦、徴用工、靖国神社参拝、日本平和憲法改正などの問題、領土的には竹島（独島）をめぐる両国間の葛藤が大きな障害となっている。これはさらに反日、嫌韓のような国民感情の対立につながりかねないため、早急に解消方法を探さなければならない。

Q 日韓請求権協定とは何か？

A 日韓請求権協定は、日韓基本条約が締結されたことで、大韓民国と日本の間で1965年に締結された協定の通称だ。同協定で、日本は韓国に対して朝鮮に投資した資本と日本人の個別財産の両方を放棄し、3億ドルの無償資金と2億ドルの借款を支援し、韓国は対日請求権を放棄することで合意した。最近の日韓請求権協定と関連して、植民地時代の朝鮮人徴用工賠償問題を巡り両国は尖鋭な対立をしている。請求権協定で徴用工賠償問題はすべて解決されたという日本側の主張と個別企業に対する賠償請求権は

장이 대립하고 있는 것이다. 이는 양국 간의 외교적 마찰을 일으
키는 가장 큰 문제로 부상했다.

この協定に含まれないという韓国側の主張が対立している
のだ。これは両国間の外交摩擦を引き起こす最大の問題と
して浮上した。

한국의 군사

Q 한국의 군사력은 어느 정도인가?

A 북한과 여전히 휴전 중이라는 한국의 특성상 군사력 및 방위력은 한국 국가의 존폐를 결정지을 수 있는 중요한 사항이다. 따라서 북한 및 주변 강대국들의 군사력에 발맞추기 위한 노력을 지속적으로 해오고 있다. 한국은 대한민국 국군이라는 공식 군대를 보유하고 있으며, 통수권자는 대통령, 지휘감독권자는 국방부장관이다. 2022년 현재 상비군 약 53만 명, 예비군 약 275만 명 규모이며, 병역은 징병제를 채택하고 있다. 국군은 육군, 해군, 공군으로 이루어져 있으며, 해군 예하에 해병대가 있다. 이 가운데 육군은 국토 면적, 인구 규모에 비해 매우 거대한 규모이다. 저출산에 따른 인구 감소로 국군 병력은 점차 감소될 예정이며, 이에 따라 군의 자동화, 소수정예화 등이 추진되고 있다. 2023년도 국방예산은 전년 대비 4.6% 증가한 57.1조 원 규모이다. 한국의 국방비는 매년 증가 추세이며, 국가재정 규모의 13~14% 정도를 차지하고 있다.

韓国の軍事

Q 韓国の軍事力はどの程度か?

A 北朝鮮と相変わらず休戦中という韓国の特性上、軍事力および防衛力は韓国国家の存廃を決定づける重要な事項だ。したがって、北朝鮮および周辺大国の軍事力に歩調を合わせるための努力を続けている。韓国は大韓民国国軍という公式軍隊を保有しており、統帥権者は大統領、指揮監督権者は国防部長官だ。2022年現在、常備軍約53万人、予備軍約275万人規模であり、兵役は徴兵制を採択している。国軍は陸軍、海軍、空軍で構成されており、海軍隷下に海兵隊がある。このうち陸軍は国土面積、人口規模に比べて非常に巨大な規模だ。少子化による人口減少で国軍兵力は次第に減少する予定であり、これに伴い軍の自動化、少数精鋭化などが推進されている。2023年度の国防予算は前年比4.6%増の1兆ウォン規模だ。韓国の国防費は毎年増加傾向にあり、国家財政規模の13〜14%程度を占めている。

Q 미국에의 의존도는?

A 한국과 미국은 한미상호방위조약을 체결하고 있고, 이 조약과 주한미군지위협정에 의해 주한 미군은 한국 내에서 합법적인 지위를 확보하며 주둔하고 있다. 서울의 용산을 비롯해 전국에 분포했던 주한 미군 50여 개 부대는 90% 이상이 현재 경기도 평택의 주둔지로 이전했다. 주한 미군에 대해서는 한국 내에서 주둔지 문제, 강력 범죄 문제 등으로 여러 차례 사회적으로 이슈가 되었고, 미군 철수를 주장하는 대규모 시위도 수차례 발생했다. 현재는 주한 미군 주둔에 따른 방위 분담금 문제로 미국 측과 협의 중이다.

한편, 주한미군이 행사하는 대한민국의 전시작전권은 2012년부터 대한민국 국군이 환수해 행사하기로 합의되었으나, 2010년 이명박 대통령과 미국 오바마 대통령이 2015년 12월로 연기했고, 2014년 미국 워싱턴에서 열린 한미안보협의회(SCM)에서 대한민국과 미국 국방부 장관은 전작권 전환 시기를 정하지 않고 2020년대 중반에 전환 여부를 검토한다고 합의하여 사실상 무기한 연기되었다.

Q アメリカへの依存度は？

A 韓国と米国は韓米相互防衛条約を締結しており、この条約と在韓米軍地位協定によって在韓米軍は韓国内で合法的な地位を確保しながら駐留している。ソウル龍山をはじめ、全国に分布していた在韓米軍50あまりの部隊は、90%以上が現在、京畿道平沢の駐屯地に移転した。在韓米軍に対しては韓国内で駐屯地問題、凶悪犯罪問題などで何度も社会的にイシューになり、米軍撤収を主張する大規模デモも数回発生した。現在は在韓米軍駐留による防衛分担金問題で米国側と協議中だ。

一方、在韓米軍が行使する大韓民国の戦時作戦権は2012年から大韓民国国軍が還収して行使することで合意されたが、2010年に李明博大統領と米国オバマ大統領が2015年12月に延期し、2014年に米国ワシントンで開かれた韓米安保協議会（SCM）で大韓民国と米国国防長官は戦作権転換時期を定めず2020年代半ばに転換するかどうかを検討すると合意し、事実上無期限延期された。

Q 한국의 징병제는?

A 만 18세 이상의 한국 남성은 대한민국 헌법에 준거하여 국방의 의무의 일환으로 일정 기간 군대에 복무해야 한다. 한국의 징병제는 한국전쟁 발발 후인 1951년부터 시행되었다. 병역법에 따르면 만 18세가 된 국민 중 심신과 조건이 일정 수준을 모두 충족하는 국민들만 현역 대상에 포함되며, 해당 나이에 도달한 전체 남성에 대해서 '병역판정검사'를 실시한다. 군 복무기간은 점차 단축되어 현재 육군, 해군은 1년 6개월, 공군은 1년 9개월간 복무한다. 현역병은 군 제대 후에도 8년간 예비군으로서 매년 일정 시간 훈련에 참여해야 한다.

20대 초중반의 시기를 군대에서 보내야 하는 부조리와 인구감소, 군 자동화 등 현대전에 대비하기 위해 국민 전체를 대상으로 한 징병제를 폐지하고 모병제를 도입해야 한다는 주장이 점차 설득력을 얻고 있다.

Q 韓国の徴兵制とは？

A 満18歳以上の韓国男性は大韓民国憲法に準拠し、国防の義務の一環として一定期間軍隊に服務しなければならない。韓国の徴兵制は朝鮮戦争勃発後の1951年から施行された。兵役法によると、満18歳になった国民のうち心身と条件が一定水準を全て満たす国民だけが現役対象に含まれ、該当年齢に達した全体男性に対して「兵役判定検査」を実施する。軍服務期間は次第に短縮され、現在陸軍、海軍は1年6か月、空軍は1年9か月間服務する。現役兵は軍除隊後も8年間予備軍として毎年一定時間訓練に参加しなければならない。

　20代前半〜中盤の時期を軍隊で過ごさなければならない不条理と人口減少、軍自動化など現代戦に備えるために国民全体を対象にした徴兵制を廃止し、募兵制を導入しなければならないという主張が次第に説得力を得ている。

Q 병역 면제와 여성의 병역의무 문제는?

A 일정한 조건을 충족하지 못하여 현역입영대상자에 포함되지 않은 남성은 보충역으로서 대체복무에 종사한다. 사회복무요원, 산업기능요원 등의 보충역은 주민센터 등의 행정지원, 방산기업체 등에서 근무하며 현역 복무를 대체한다.

입대연령을 넘긴 만 33세 이상의 남성, 신체적·정신적 결함으로 군 복무에 적합하지 않은 자, 그 밖에 가족 부양 등 피치 못할 사정이 있는 경우에는 병역에서 면제된다.

법률상 병역의 의무는 남성에게만 해당되기 때문에, 여성은 병역과 관련한 어떠한 의무도 지지 않는다. 다만 여성은 장교, 부사관 등의 간부로 입대가 가능하다. 이와 관련하여 양성평등의 원칙에 입각해 남성에게만 병역의 의무를 부과하는 것은 형평성에 어긋나기 때문에 여성에게도 병역의 의무를 부과해야 한다는 주장이 꾸준히 제기되고 있다.

Q 兵役免除と女性の兵役義務問題とは？

A 　一定の条件を満たせず現役入隊対象者に含まれない男性は補充役として代替服務に従事する。社会服務要員、産業技能要員などの補充役は住民センターなどの行政支援、防衛産業企業などに勤め、現役服務を代替する。

　入隊年齢を超えた満33歳以上の男性、身体的・精神的欠陥で軍服務に適していない者、その他家族扶養など避けられない事情がある場合には兵役から免除される。

　法律上兵役の義務は男性にのみ該当するため、女性は兵役に関するいかなる義務も負わない。ただし、女性は将校、副士官などの幹部として入隊が可能だ。これと関連して、両性平等の原則に基づいて男性にのみ兵役の義務を課すことは公平性に反するため、女性にも兵役の義務を課すべきだという主張が絶えず提起されている。

教えてキムさん！

もっと気になる韓国の なぜ？ なに？

韓国の若者の投票率が高くてびっくりしました。日本では若い有権者を増やそうと、2015年に選挙権年齢が18歳に引き下げられましたが、10〜20代の投票率はだいたい30％台です。どうして韓国の若者はこんなに投票に行くのでしょうか？

한국 젊은이들의 투표율이 높아서 놀랐어요. 일본에서는 젊은 유권자를 늘리기 위해 2015년에 선거권 연령이 18세로 낮아졌지만 10~20대의 투표율은 대체로 30%대입니다. 왜 한국 젊은이들은 이렇게 많이 투표하러 갈까요?

若者に限らず、韓国人は日本人に比べて政治に関心が高いんです。これは私の主観ですが、日本は政治体制がほとんど変わらないですよね？　対して、韓国は憲法が9回も改正されたり、保守派と進歩派の政権交代がよくあったり、政治の移り変わりが激しいので、韓国人はその動向に関心が高いんです。

젊은이뿐만 아니라 한국인은 일본인에 비해 정치에 관심이 많습니다. 이건 제 생각인데 일본은 정치체제가 거의 변하지 않죠? 반면 한국은 헌법이 9번이나 개정되거나 보수와 진보의 정권 교체가 자주 있거나 정치 변화가 심하기 때문에 한국인들은 그 동향에 관심이 많아요.

日常的に政治について周りの人と話すのですか？

일상적으로 정치에 대해 주변 사람들과 이야기하나요?

よく話しますよ。だから飲み会で政治の話題になるとケンカになったりもします……。私も若い頃は政治の話になると父とよくケンカをしました。なので母が「食事のときは政治の話をするな」というぐらいでしたね。

자주 얘기해요. 그래서 술자리에서 정치가 화제에 오르면 싸움이 나기도 합니다……. 저도 젊었을 때는 정치 얘기만 하면 아버지와 자주 싸웠어요. 그래서 어머니께서 '식사할 때는 정치 얘기를 하지 말라'고 할 정도였죠.

政治に対する意見の違いでケンカまでするなんて、日本ではなかなかあり得ないことですね。日本は無党派層が増えていますが、韓国ではそんなことはないのでしょうか？

정치에 대한 의견 차이로 싸움까지 하다니, 일본에서는 좀처럼 있을 수 없는 일이네요. 일본은 무당파층이 증가하고 있는데, 한국에서는 그런 일이 없습니까?

無党派層も一定数はいますが、有権者の半数以上はちゃんと支持政党があります。韓国人は概して自分の支持する路線についてしっかりとした意見を持っています。

무당파층도 일정 수는 있지만 유권자의 절반 이상은 확실한 지지 정당이 있습니다. 한국인들은 대체로 자신이 지지하는 노선에 대해 확고한 의견을 가지고 있습니다.

芸能人も SNS に投票に行ったという認証ショットをよくアップしていますよね？

연예인들도 SNS에 투표하러 갔다는 인증샷을 많이 올리죠?

芸能人は自分の投票先を明かしませんが、日ごろの言動によって支持政党は明らかなので、暗にそこへの投票を呼びかけているのだと思います。あとは選挙に行かないと韓国では「無賃乗車＊」といわれてよくない目で見られるので、自分はちゃんと政治を考えているということをアピールしている側面もあります。

연예인은 자신이 투표한 곳을 밝히지 않지만 평소의 언행에 따라 지지 정당이 분명하기 때문에 은근히 거기에 투표하기를 호소하고 있는 것 같습니다. 그리고 선거를 하지 않으면 한국에서는 '무임승차'라고 생각해서 좋지 않은 시선으로 볼 수 있기 때문에 자신은 제대로 정치에 대해 생각하고 있다는 것을 어필하는 측면도 있습니다.

＊日本語では「ただ乗り」ともいう。必要な労力を使わずに対価を得たり文句ばかり言ったりすることを比喩的に指す言葉。

それが若者の投票率アップにもつながっているんですね。

그게 젊은이들의 투표율 향상으로도 이어지고 있네요.

챕터 **4**
한국의 경제생활

Chapter **4**
韓国の経済生活

한국경제의 배경

Q 한국의 통화는?

A 한국의 통화는 '원'이다. 1962년에 현재의 원화가 도입되었으며, ISO 4217 코드는 KRW이고 기호는 ₩를 사용한다. 영문 표기는 WON이다. 일본 엔과의 환율은 100엔에 1,000원 정도이다.

Q 지폐에 그려진 인물은 누구인가?

A 한국의 지폐는 5만 원권 신사임당, 1만 원권 세종대왕, 5천 원권 율곡 이이, 1천 원권에는 퇴계 이황이 그려져 있다. 이황은 조선시대 문신이자 학자로서 조선의 성리학을 체계화했을 뿐만 아니라 주자의 이론을 더욱 발전시켜 '동방의 주자'라는 칭송을 받은 대학자이다. 이이는 조선시대 중기의 학자이자 정치가로서 이황과 함께 조선의 대학자로서 쌍벽을 이룬 인물이다. 정치적으로도 높은 벼슬을 지내며 여러 가지 사회 개혁을 추진했다. 세종대왕은 한글을 창제한 조선 제4대 임금으로 한국인이 가장 존

韓国経済の背景

Q 韓国の通貨は？

A 韓国の通貨は「ウォン」だ。1962年に現在のウォン貨が導入され、ISO4217コードはKRWで、記号はＷを使う。英語表記はWONだ。日本の円との為替レートは100円で1,000ウォン程度だ。

Q お札に描かれた人物はだれか？

A 韓国の紙幣は5万ウォン札の申師任堂、1万ウォン札の世宗大王、5千ウォン札の栗谷李珥、1千ウォン札には退渓李滉が描かれている。李滉は朝鮮時代の文臣であり学者として朝鮮の性理学を体系化しただけでなく、朱子の理論をさらに発展させ「東方の朱子」と称えられた大学者である。李珥は朝鮮時代中期の学者であり政治家として李滉とともに朝鮮の大学者として双璧を成した人物

경하는 인물이다. 5만 원권의 신사임당은 조선시대 중기의 여성 예술가이자 율곡 이이의 어머니이다. 깊은 효심과 훌륭한 자녀 교육으로 조선시대를 대표하는 여성으로 손꼽힌다.

Q 아시아 금융위기는?

A 1997년부터 아시아 지역을 중심으로 발생했던 외환 유동성 위기를 통칭하는 말이다. 금융위기 사태 발생 직전까지, 김영삼 정부의 금융정책으로 인해 각 기업들은 차입에 의존한 무분별한 과잉투자를 벌였다. 동시에 국외적으로는 태국의 고정환율제 포기로 인해 환율을 이용한 외국 자본의 차익 실현으로 동남아시아에 통화 위기가 발생했고, 동북아시아를 거쳐 세계 경제에 불안을 가져왔다. 이러한 경제 불안은 한국뿐만 아니라 아시아 전체에 경제 위기를 불러왔다.

だ。政治的にも高い官職を務め、様々な社会改革を推進した。世宗大王はハングルを創製した朝鮮の第4代王で、韓国人が最も尊敬する人物だ。5万ウォン札の申師任堂は朝鮮時代中期の女性芸術家であり栗谷李珥の母親だ。深い親孝行と立派な子どもの教育で朝鮮時代を代表する女性として挙げられる。

Q アジア金融危機とは？

A 1997年からアジア地域を中心に発生した通貨流動性危機の通称だ。金融危機の発生直前まで、金泳三政府の金融政策により各企業は借入に依存した無分別な過剰投資を行った。同時に国外的にはタイの固定為替レート制放棄により為替レートを利用した外国資本の差益実現で東南アジアに通貨危機が発生し、北東アジアを経て世界経済に不安をもたらした。このような経済不安は、韓国だけでなくアジア全体に経済危機をもたらした。

Q '한강의 기적'은 무엇인가?

A '한강의 기적'은 한국에서 한국전쟁 이후부터 아시아 금융위기 시기까지 나타난 반세기에 이르는 급격한 경제성장을 나타내는 상징적인 용어이다. 이 시기 한국은 경제적으로 빠르게 성장하여 아시아의 네 마리 용 중 하나로 손꼽히게 되었다. 이 용어는 1950년 제2차세계대전 이후 수십 년 동안에 걸친 서독의 경제적 발전을 이르는 말인 '라인 강의 기적'에서 유래한 말을 빗대서 생겨난 것이다.

Q 한국 경제활동의 특징은?

A 한국의 경제는 자본주의에 기반한 혼합 경제체제를 채택하고 있다. 국가 주도의 경제발전을 통해 후진국에서 선진국으로 고속도의 경제발전을 이루었으며, 이는 '한강의 기적'이라 칭해지기도 한다. 2020년 기준으로 국제통화기금(IMF)이 발표한 자료에 따르면 대한민국의 명목 1인당 국내총생산(GDP)은 3만 1,637달러이다. 2020년 유엔 세계경제상황전망 보고서에 따르면 한국은 개발도상국으로 분류되었으나, 2021년 7월 2일 이후

Q 「漢江の奇跡」とは何か？

A 「漢江の奇跡[*]」は韓国で朝鮮戦争以後からアジ   *☞ p.25
ア金融危機時期まで現れた半世紀に至る急激な経済成長を
表す象徴的な用語だ。この時期、韓国は経済的に急速に成
長し、アジアの四頭の龍の一つとして挙げられるように
なった。この用語は1950年の第二次世界大戦以後、数十
年間にわたる西ドイツの経済発展を指す言葉である「ライ
ン川の奇跡」から由来した言葉になぞらえて生まれたもの
だ。

Q 韓国の経済活動の特徴は？

A 韓国の経済は資本主義に基づいた混合経済体制を
採用している。国家主導の経済発展を通じて後進国から先
進国へ高速度の経済発展を成し遂げ、これは「漢江の奇跡」
と称されることもある。2020年基準で国際通貨基金（IMF）
が発表した資料によると、大韓民国の名目1人当たりの国
内総生産（GDP）は3万1,637ドルだ。2020年国連世界経
済状況展望報告書によると、韓国は発展途上国に分類され

유엔무역개발회의가 선진국으로 지위를 변경했다.

한국은 자본력이 부족한 국가적인 특수한 환경에 따라 독특한 중앙집중 형태의 경제발전을 진행시켜왔는데, 중소기업보다는 재벌기업이 주류인 대기업을 축으로 하는 기업경제구조를 세웠으며, 천연자원이 모자라기 때문에 가공무역을 핵심으로 삼은 수출주도형 경제성장 정책을 도입했다. 그 결과 수출과 수입에 크게 의존하게 되었다.

Q 한국의 무역은?

A 한국은 세계 7위의 수출 강국이다. 한국은 11년 연속 무역흑자를 냈으며, 2011년 처음으로 무역 1조 달러 클럽에 들어간 뒤 2015~16을 제외하면 7년 동안 무역 1조 달러를 달성했다. 한국이 수출 강국으로 발돋움할 수 있었던 데에는 반도체, 자동차 등 특정 품목들의 힘이 컸다. 한국의 수출 1위 품목은 단연 '반도체'다 전체 수출에서 반도체가 차지하는 비중은 17.3%에 달한다. 한국의 반도체 주요 수출 국가는 중국, 홍콩, 베트남으로 특히 중국은 2005년 이후 한국 반도체 수출 대상국 1위 국가를 줄곧 유지하고 있다. 그 뒤를 이어 2위는 '자동차'(7.9%), 3위는 '석유제품'(7.5%)이 차지하고 있다. 주요 수입 품목은 '원유', '반도체', '천연가스' 등이다.

たが、2021年7月2日以後、国連貿易開発会議が先進国に地位を変更した。

　韓国は資本力が不足している国家的に特殊な環境によって独特な中央集中形態の経済発展を進めてきたが、中小企業よりは財閥企業が主流である大企業を軸とする企業経済構造を立て、天然資源の不足のため加工貿易を核心とした輸出主導型経済成長政策を導入した。その結果、輸出と輸入に大きく依存するようになった。

Q 韓国の貿易は？

A 　韓国は世界7位の輸出強国だ。* 韓国は11年連続貿易黒字を出し、2011年に初めて貿易1兆ドルクラブに入った後、2015〜16年を除けば7年間貿易1兆ドルを達成した。韓国が輸出強国に浮上できたのには半導体、自動車など特定品目の力が大きかった。韓国の輸出品目1位は断然「半導体」で、全体輸出で半導体が占める比重は17.3%に達する。韓国の半導体主要輸出国は中国、香港、ベトナムで、特に中国は2005年以降、韓国の半導体輸出対象国1位を維持している。続いて2位は「自動車」（7.9%）、3位は「石油製品」（7.5%）が占めている。主な輸入品目は「原油」、「半導体」、「天然ガス」などだ。

＊日本の貿易相手国としては、2021年の韓国への輸出は第4位（6.9%）、韓国からの輸入は第5位（4.2%）だった。（出典：財務省）

Q 왜 부동산 가격이 중요한가?

A 국토가 좁고, 서울을 비롯한 수도권의 인구 집중 현상이 심각한 한국에서 부동산, 특히 아파트(일본의 맨션)는 개인 자산 가운데 가장 큰 비중을 차지한다. 1960대 경제개발 이후 한국의 부동산 가격은 지속적으로 상승해왔으며, 이를 빗대 '부동산 불패 신화'라는 용어도 생겼다. 부동산 가격의 지속적인 상승으로 인해 자산을 늘리기 위한 투자 1순위로 부동산 투자가 국민의 기본 상식이 되었고, 이로 인해 일본과 같은 버블 붕괴 현상이 언제 발생할지 모를 상황이 되었다. 매 정부마다 부동산 가격을 안정화시키기 위한 여러 정책을 시행하고 있지만 실패를 거듭하고 있고, 젊은 세대를 중심으로 '영끌족'이라는 신조어도 생겼다.

Q なぜ不動産価格が重要なのか?

A 国土が狭く、ソウルをはじめ首都圏の人口集中現象が深刻な韓国で不動産、特にアパート（日本でいうマンション）は個人資産の中で最も大きな比重を占める。1960年代の経済開発以後、韓国の不動産価格は持続的に上昇してきており、これになぞらえて「不動産不敗神話」という用語もできた。不動産価格の持続的な上昇により資産を増やすための投資第1位として不動産投資が国民の基本常識となり、これにより日本のようなバブル崩壊現象がいつ発生するか分からない状況になった。各政府ごとに不動産価格を安定化させるための色々な政策を施行しているが失敗を繰り返しており、若い世代を中心に「ヨンクル（魂集）族[*]」という新造語もできた。

*持っている資産すべてや借金までしてお金を「魂」までかき「集」めてアパートを購入しようとする人々を指す。

Q 왜 연예인들이 건물을 사고팔고 하는가?

A 수입이 불규칙적이며, 단기간에 목돈을 모을 수 있는 연예인들에게 부동산 투자는 안정적인 자산을 확보하기 위한 수단으로 인기이다. 하지만 단기간의 시세 차익을 얻기 위한 부동산 매매는 투자를 넘어선 투기로 받아들여지고 있고, 큰 시세 차익을 얻은 유명 연예인들의 뉴스는 일반 국민에게 상대적 박탈감을 주는 것 또한 사실이다.

Q 한국의 물가는 어느 정도?

A 한국의 물가는 다른 국가들에 비해 독특한 점이 몇 가지 있다. 수도요금, 가스요금, 전기요금, 대중교통을 포함한 공공요금과 각종 서비스 요금은 저렴하고, 반대로 식료품비와 의류비를 포함한 생필품비는 상당히 비싸다. 즉, 저렴한 공공요금과는 대조적으로 먹는 것과 관련해서는 상당히 물가 수준이 높은 편이다. 국토가 작고 산이 많아서인지 미국, 호주, 아르헨티나처럼 대농장과 목초지가 많은 나라들에 비해 1차 산업의 생산량이 적은데다, 전

Q なぜ芸能人が建物を売買するのか？

A 収入が不規則で、短期間に大金を集められる芸能人に不動産投資は安定的な資産を確保するための手段として人気だ。しかし、短期間の相場差益を得るための不動産売買は投資を超えた投機*と受け止められており、大きな相場差益を得た有名芸能人のニュースは一般国民に相対的剥奪感*を与えるのも事実だ。

＊「投資」は投資先の将来性を見据えながら長期的に資金を投じること。
「投機」は相場の変動を予測し短期間で売買して利益を得ること。
＊「相対的剥奪感」は他人が自分と比べて多くの権利や財産などを持っていると、自身が実際に失ったものはないのに何かを奪われたり疎外されたりしていると感じること。元は社会学用語だったが、格差が広がりSNSが普及した韓国ではよく目にする表現。

Q 韓国の物価はどの程度？

A 韓国の物価は他の国々に比べて独特な点がいくつかある。水道料金、ガス料金、電気料金、公共交通機関を含めた公共料金と各種サービス料金は安く、逆に食料品費と衣類費を含めた生活必需品費はかなり高い。すなわち、安い公共料金とは対照的に食べることに関してはかなり物価水準が高い方だ。国土が小さくて山が多いためか、米国、オーストラリア、アルゼンチンのように大農場と牧草地が

통적으로 강력한 농축수산업 보호 정책 탓에 1차 산업이 폐쇄성
을 띠고 있기 때문이다. 특히 육류(그중에서도 쇠고기)의 가격이
매우 높게 형성되어 있다. 유제품과 육류는 전 세계에서 가장 비
싸게 팔리고 있다.

多い国に比べて1次産業の生産量が少ないうえに、伝統的に強力な農畜水産業保護政策のために1次産業が閉鎖性を帯びているためだ。特に肉類（中でも牛肉）の価格が非常に高くなっている。乳製品と肉類は世界で最も高く売られている。

한국의 경영과 직장환경

Q 재벌은 무엇인가?

A 재벌이란 일본에서 비롯된 용어로, 거대 자본을 가진 경영진이 가족, 친척 등 동족을 주축으로 이루어진 혈연적 기업체를 뜻한다. 한국에서는 삼성가나 현대가, SK가, LG가, 롯데가 등이 대표적이다. 그러나 이러한 누구나 이름만 들어도 알 만한 초대형 재벌가 외에도 더 작은 규모로도 재벌적 특성을 갖춘 기업체들이 전국에 많이 있다.

Q 대기업과 중소기업의 격차가 큰가?

A 한국은 대기업과 중소기업의 노동시장 격차가 큰 편으로, 중소기업 근로자의 연평균 임금은 대기업의 60%에도 미치지

韓国の経営と職場環境

Q 財閥とは何か?

A 財閥という日本で始まった用語で、巨大資本を持った経営陣が家族、親戚など同族を主軸に行われた血縁的な企業体を意味する。韓国では三星家や現代家、SK家、LG家、ロッテ家などが代表的だ。しかし、このような誰でも名前だけ聞いてもわかるほどの超大型財閥家の他に、より小さな規模でも財閥的特性を備えた企業体が、全国にたくさんある。

（左上から時計回りに）韓国の4大財閥といわれるサムスングループ・現代自動車グループ・SKグループ・LGグループ

Q 大企業と中小企業の格差は大きいか?

A 韓国は大企業と中小企業の労働市場格差が大きい方で、中小企業勤労者の年平均賃金は大企業の60%にも

못하고 있다. 평균 근속기간도 1999년에는 중소기업이 대기업보다 3.2년 짧았지만 2019년에는 4.7년으로 더욱 짧아졌다. 따라서 중소기업 근로자의 임금 상승과 장기 재직 활성화를 위한 다양한 정책 방안을 모색하고 있다.

Q 한국의 노동시간은?

A 현재 한국의 노동시간은 1주일에 일하는 시간을 최대 52시간으로 제한하는 '주 52시간 근로' 제도가 시행되고 있다. 한국의 노동시간은 점차 감소하고 있지만, 다른 선진국 수준에 비해서 여전히 더 높은 실정이다. 또한 노동시간의 양뿐만이 아니라, 질적인 측면에서도 장기 휴가제도 등의 미비로 인해 노동시간과 여가시간 사이의 간격이 좁아서 충분한 휴식을 제공하지 못 하고 있으며, 시간제 근로, 야간 노동, 교대제 근무 등 노동시간의 특정한 배치에 따른 건강의 위험과 삶의 질의 악화가 우려되고 있다. 또한 서구에서 비교적 시간제 근로, 비정규직의 노동시간이 최저 생계 이상을 보장할 수 있는 반면에 한국에서 적은 노동시간은 최저 생계조차 보장할 수 없게 되는 문제가 있다.

達していない。平均勤続期間も 1999 年には中小企業が大企業より 3.2 年短かったが、2019 年には 4.7 年とさらに短くなった。したがって、中小企業労働者の賃金上昇と長期在職活性化のための多様な政策方案を模索している。

Q 韓国の労働時間は?

A 現在、韓国の労働時間は 1 週間に仕事をする時間を最長 52 時間に制限する「週 52 時間勤労」制度が施行されている。韓国の労働時間は次第に減少しているが、他の先進国水準に比べて依然として長いのが実情だ。また、労働時間の量だけでなく、質的な側面でも長期休暇制度などの不備により労働時間と余暇時間の間隔が狭くて十分な休息を提供できずにおり、時間制勤労、夜間労働、交代制勤務など労働時間の特定配置にともなう健康の危険と生活の質の悪化が憂慮されている。また、西欧では比較的時間制勤労、非正規職の労働時間が最低生計以上を保障できる反面、韓国で少ない労働時間は最低生計さえ保障できなくなる問題がある。

Q 한국의 임금 수준은?

A 2021년 기준 한국 근로자의 평균 월 임금총액은 389만 3,000원으로 집계되었다. 10인 미만 사업체가 280만 8,000원, 10~29인 369만 8,000원, 20~99인 403만 1,000원, 100~299인 444만 5,000원, 300인 이상 568만 7,000원이다. 300인 이상 대기업 근로자 임금을 100이라고 할 때 1~9인 사업체 근로자 임금은 절반(49.4%)에도 미치지 못한다.

2023년도 최저임금은 9,620원이다. 최근 5년간 시간당 최저임금은 2018년 16.4% 오른 7,530원, 2019년 10.9% 오른 8,350원, 2020년 2.9% 오른 8,590원, 2021년 1.5% 오른 8,720원, 2022년 5.1% 오른 9,160원으로 해마다 소폭 상승하고 있다.

Q 직장 내 복리후생은 어떤 것이 있는가?

A 기업의 규모, 업종 등에 따라 복리후생의 종류가 다르지만, 가장 기본적인 것으로 4대보험(국민연금, 고용보험, 산재보험, 건강보험)을 들 수 있다. 기업에 따라서는 교통비와 숙식비를 제공

Q 韓国の賃金水準は?

A 　2021年基準で韓国労働者の平均月賃金総額は389万3,000ウォンと集計された。10人未満の事業体が280万8,000ウォン、10～29人369万8,000ウォン、20～99人403万1,000ウォン、100～299人444万5,000ウォン、300人以上568万7,000ウォンだ。300人以上の大企業の労働者の賃金を100とすると、1～9人の事業体の労働者の賃金は半分(49.4%)にも満たない。

　2023年度の最低賃金は9,620ウォンだ。最近5年間、時間当たり最低賃金は2018年16.4%上がって7,530ウォン、2019年10.9%上がって8,350ウォン、2020年2.9%上がって8,590ウォン、2021年1.5%上がって8,720ウォン、2022年5.1%上がって9,160ウォンで毎年小幅に上昇している。

Q 職場内の福利厚生にはどんなものがあるのか?

A 　企業の規模、業種などによって福利厚生の種類が異なるが、最も基本的なものとして4大保険(国民年金、雇用保険、労災保険、健康保険)が挙げられる。企業によっ

하기도 하며, 자녀의 등록금을 지원하는 회사도 있다.

Q 통근 수단은 대체로 무엇인가?

A 한 조사에 따르면 출근 시 주로 이용하는 교통수단은 전국적으로 승용차 52%, 버스 15.4%, 도보 14.6%, 지하철 10.3%, 자전거 및 기타 7.0%, 택시 0.8%로 결과가 나왔다. 출근시간이 오래 걸리는 서울은 대중교통 이용 비율이 81.2%, 승용차 18.1%, 자전거 및 기타 0.7%이다.

Q 언제부터 어떻게 취업활동을 하는가?

A 한국 남성은 대학 진학 이후 빠르게는 1~2학년을 마치고 군대에 입대하는 경우가 많아서 취업연령이 일본에 비해 높다. 보통은 군 제대 후 3~4학년이 되면 이른바 취업 준비를 한다. 취업 준비에는 학점 획득, 토익 등 영어 시험 응시, 각종 자격증 획득, 봉사활동 등이 포함된다. 졸업 연도가 되면 취업 활동을 시

ては交通費と家賃を提供することもあり、子どもの大学の
授業料を支援する会社もある。

Q 通勤手段は総じて何か?

A　ある調査によると、出勤時に主に利用する交通手
段は全国的に乗用車52%、バス15.4%、徒歩14.6%、地下
鉄10.3%、自転車およびその他7.0%、タクシー0.8%とい
う結果が出た。出勤時間が長くかかるソウルは、公共交通
機関の利用比率が81.2%、乗用車18.1%、自転車およびそ
の他0.7%である。

Q いつからどのように就職活動を するのか?

A　韓国男性は大学進学後、早いテンポで1〜2年生
を終えて軍隊に入隊する場合が多く、就業年齢が日本に比
べて高い。普通は軍除隊後、3〜4年生になると、いわゆ
る就職準備をする。就職準備には単位獲得、TOEICなど
英語試験受験、各種資格取得、ボランティア活動などが含

작하지만, 좀 더 좋은 직장을 얻기 위해 해외 어학 연수, 휴학 등
을 하며 졸업을 늦추는 경우도 많이 있다. 공무원 임용, 교원 임
용 등을 목표로 하는 학생은 졸업 이후에도 몇 년간 시험 공부
를 하기도 한다.

Q 학력 및 집안 배경은 취업에 어느 정도 영향을 미치는가?

A 한국은 학연, 지연, 혈연 사회라고 말해지고 있다. 학연은
같은 학교(주로 고등학교, 대학교) 출신, 지연은 같은 지역(고향)
출신, 혈연은 친족관계를 말한다. 과거 농업을 기반으로 한 공동
체 사회였던 한국에서 이러한 각종 인맥은 취업을 비롯한 사회생
활에 대단히 중요한 요소로 작용해왔다. 급격한 경제성장으로 점
차 선진국 대열에 합류한 이후 이러한 구시대적 인맥 관계에서 벗
어나자는 움직임으로 인해 학연, 지연, 혈연에 의한 취업 등은 대
단히 부정적인 것으로 인식되고 있다. 표면적으로 인맥에 의한 취
업 등은 많이 해소되었으나, 실제로는 여전히 중요한 요소로 작용
하고 있는 것 또한 사실이다.

まれる。卒業年度になると就職活動を始めるが、より良い職場を得るために海外語学研修、休学などをして卒業を遅らせる場合も多くある。公務員任用、教員任用などを目標にする学生は卒業後も数年間試験勉強をしたりもする。

Q 学歴や家庭の背景は就職にどの程度影響を及ぼすか？

A 韓国は学縁、地縁、血縁社会と言われている。学縁は同じ学校（主に高校、大学）出身、地縁は同じ地域（故郷）出身、血縁は親族関係をいう。かつて農業を基盤とした共同体社会だった韓国で、このような各種人脈は就職をはじめとする社会生活に非常に重要な要素として作用してきた。急激な経済成長で次第に先進国隊列に合流した後、このような旧時代的人脈関係から抜け出そうという動きによって学縁、地縁、血縁による就職などは非常に否定的だと認識されている。表面的に人脈による就職などは多く解消されたが、実際には依然として重要な要素として作用していることも事実だ。

Q 실업률은 어느 정도인가?

A 2022년 현재 한국은 사실상 '완전고용'수준인 3%의 실업률을 기록하고 있다. 코로나19의 영향 속에서 배달 라이더와 같은 초단시간 근로자가 급증하고, 외국인 노동자의 유입이 늦어지면서 산업현장의 일손이 부족해진 때문으로 해석되고 있다. 하지만 일자리를 구하긴 쉬워졌지만 단시간 근로자 비중이 급증하는 등 일자리의 상대적인 질은 떨어지고 있다는 우려를 낳고 있다.

Q '블랙기업'은 있는가?

A 한국 내 블랙기업은 '고용 불안정', '장시간 노동', '직장 내 괴롭힘', '폐쇄적 소통구조' 등으로 분류할 수 있다. 한국은 비정규직이 정규직으로 전환되는 비율이 상대적으로 낮은 편이다. 즉, 일본보다 고용 시장에서 근로자의 입지가 더 좁은 편이며, 이로 인한 기형적인 인턴제도와 정규직 전환을 미끼로 던지는 비정규직 문제가 매우 심각한 데다 여기에 그 비정규직조차 부족한 상황이다. 이런 상황 때문에, 직장 문제로 인한 자살 사건도 잊을 만하면 반복되고 있다. 또한 블랙기업이 사회문제화된 일본과는 달리,

Q 失業率はどの程度か?

A 　2022年現在、韓国は事実上「完全雇用」水準である3%の失業率を記録している。新型コロナウイルスの影響の中で配達員のような超短時間労働者が急増し、外国人労働者の流入が遅れ産業現場の人手が不足したためと解釈されている。しかし、仕事を見つけるのは容易になったが、短時間労働者の割合が急増するなど、仕事の相対的な質は落ちているという懸念を生んでいる。

Q 「ブラック企業」はあるのか?

A 　韓国内のブラック企業は「雇用不安定」、「長時間労働」、「職場内いじめ」、「閉鎖的なコミュニケーション構造」等に分類できる。韓国は非正規職が正規職に転換される比率が相対的に低い方だ。すなわち、日本より雇用市場で勤労者の立場がより狭い方であり、これによる奇形的なインターン制度と正規職転換をエサにする非正規職問題が非常に深刻なうえに、その非正規職さえ不足している状況だ。このような状況のため、職場問題による自殺事件も忘

노동 문제가 비정규직 문제 등 사회적·경제적 차원에서만 논의될 뿐 기업의 책임에 대해서는 전혀 논의되지 않고 있는 현실 때문에, 블랙기업이 얼마나, 어떤 형식으로 존재하는지조차 아직 명확하게 파악하지 못 하고 있다.

Q 여성의 관리직 비율은?

A 지난 10년간 한국 여성의 경제활동 참여율은 52.9%까지 증가했다. 하지만 여성 관리직 비율은 OECD 평균(33.2%)의 절반에도 못 미치는 15.4%로 나타났다. 그만큼 한국 기업의 유리천장이 견고하다는 것을 보여주는 지표이다. 한국 기업의 여성 임원 비율이 낮은 이유는 젠더 감수성(Gender Sensitivity) 부족 탓이다. 업무 배치나 승진 등의 평가에서 능력보다는 여성이라는 이유로 불이익을 주는 경우가 많다. 출산과 육아 가능성을 먼저 고려하기 때문이다.

れられそうになれば繰り返されている。また、ブラック企業が社会問題化された日本とは異なり、労働問題が非正規職問題など社会的・経済的次元で議論されるだけで、企業の責任に対しては全く議論されていない現実のために、ブラック企業がどれほど、どんな形式で存在するのかさえまだ明確に把握できていない。

Q 女性の管理職の割合は？

A　この10年間で、韓国女性の経済活動参加率は52.9%まで増加した。しかし、女性管理職の割合はOECD平均（33.2%）の半分にも満たない15.4%だった。それだけ韓国企業のガラスの天井が堅固だということを示す指標だ。韓国企業の女性役員の割合が低い理由は、ジェンダー感受性（Gender Sensitivity）不足のためだ。業務配置や昇進などの評価で能力よりは女性であるという理由で不利益を与える場合が多い。出産と育児の可能性を先に考慮するからだ。

教えてキムさん！
もっと気になる韓国の なぜ？ なに？

「ヨンクル族」という言葉を初めて知りました。そういえば、韓国では芸能人がどこのマンションを買ったとか、いくらで売ってこれだけの利益を得たというニュースをよく聞きます。どうしてこんなに物件の売買をくり返すのでしょうか？

'영끌족'이라는 말을 처음 알았어요. 그러고 보니 한국에서는 연예인이 어느 아파트를 샀다거나 얼마에 팔아서 이만큼의 이익을 얻었다는 소식을 자주 듣습니다. 왜 이렇게 부동산 매매를 반복하는 걸까요?

簡単にいうとお金のためですね。韓国ではこれまで不動産価格が上昇し続けているので、誰もが一番安定している不動産投資を選ぶんです。でも、いつ日本のようにバブルが弾けるかわからない。今が最後の機会だ、今買わなければと、手元にあってもなくてもお金を精いっぱいかき集めて不動産を購入しようとします。

간단히 말하면 돈 때문이죠. 한국에서는 지금까지 부동산 가격이 계속 상승했기 때문에 누구나 가장 안정적인 부동산 투자를 선택할 것입니다. 하지만 언제 일본처럼 거품이 터질지 모르겠어요. 지금이 마지막 기회다, 지금 사야겠다 해서 수중에 돈이 있든 없든 최대한 끌어모아서 부동산을 구입하려고 합니다.

それでヨンクル族が生まれたんですね。それにしても、ニュースで聞く芸能人の相場差益の金額が半端じゃないですね。数十億ウォンだとか数百億ウォンだとか……。

그래서 영끌족이 나왔군요. 그건 그렇고 뉴스에서 듣는 연예인의 시세차익 금액이 장난이 아니네요. 몇 십억 원이니 몇 백억 원이니…….

まあ、すべてが本当かどうかはわからないですよ。偽情報の場合もありますし。当事者は肯定も否定もしていないですからね。

글쎄요, 모든 게 사실인지는 모르겠어요. 가짜 정보인 경우도 있고요. 당사자는 긍정도 부정도 하지 않으니까요.

202

でも、真面目にコツコツ働いている人からすれば、なんだか報われない気持ちになってしまいますね。そういえば、韓国では「静かな退職」という言葉が流行っていると聞きました。

하지만 진지하게 성실히 일하고 있는 사람 입장에서는 왠지 보답받지 못하는 기분이 되어버리네요. 그러고 보니 한국에서는 '조용한 퇴직'이라는 말이 유행이라고 들었어요.

もともとはアメリカ発祥の言葉（quiet quitting）ですね。意味としては、会社で求められたことだけを淡々と行って定時には退社し、プライベートな時間を充実させて、会社の成長よりも自分の成長を優先させようという姿勢ですね。

원래는 미국에서 유래한 말(quiet quitting)이죠. 그 뜻은 회사에서 요구받은 것만 담담하게 하고 정시에 퇴근해 사적인 시간을 충실하게 한다는, 회사의 성장보다 자신의 성장을 우선시하려는 자세죠.

「静かな退職」は日本でも耳にする機会が増えてきたような気がします。

'조용한 퇴직'은 일본에서도 들을 기회가 많아진 것 같습니다.

関連して「ウォラベル」という言葉もあります。「ワークライフバランス」の略ですね。

관련해서 '워라밸'이라는 말도 있고요. '워크와 라이프의 밸런스'의 약자죠..

日本も韓国も社会が同じような流れに乗っていますね。お互いこれからどうなっていくんだろう……？

일본도 한국도 사회가 비슷한 흐름을 타고 있네요. 서로 앞으로 어떻게 되어갈지……?

챕터 5
한국의 사회와 생활

Chapter 5
韓国の社会と生活

사회문제

Q 빈부격차는 어느 정도 심각한가?

A 한국은 1990년대에 들어서부터 정체되고 계층구조가 고착화되었고, 그에 따라 사회는 계층에 대해 열린 사회에서 닫힌 사회로 변화하고 양극화로 인한 불평등이 심화되고 있다. 도시가구를 대상으로 한 지니계수 역시 한국 사회의 불평등을 반영하듯 1990년 0.274, 1998년 0.295, 2000년 0.286, 2005년 0.304, 2008년 0.325로 대체적으로 상승해왔다. 특히 1997년 아시아 경제위기 이후 한국 사회의 불평등이 급격하게 심화되었다. 한국 사회가 닫힌 사회가 되고 양극화가 심해지면서 교육은 신분상승에서 신분유지의 수단으로 전락했다. 이로 인해 한국의 20~30대들은 대학을 졸업하더라도 노동시장에서의 치열한 경쟁을 피할 수 없는 상황에 처해 있다.

社会問題

Q 貧富の格差はどの程度深刻か？

A 韓国は1990年代に入ってから停滞し、階層構造が固着化し、それによって社会は階層に対して開かれた社会から閉ざされた社会に変化し、両極化による不平等が深刻化している。都市世帯を対象にしたジニ係数*も、韓国社会の不平等を反映するかのように、1990年0.274、1998年0.295、2000年0.286、05年0.304、08年0.325と概ね上昇してきた。特に1997年のアジア経済危機以後、韓国社会の不平等が急激に深刻化した。韓国社会が閉ざされた社会になり、両極化が激しくなり、教育は身分上昇から身分維持の手段に転落した。これにより韓国の20〜30代は大学を卒業しても労働市場での激しい競争を避けられない状況に置かれている。

*格差がどれぐらい開いているかを測る代表的な指標。0〜1の間の数値で表され、1に近いほど格差が大きい。OECDによれば2021年の韓国は0.331、日本は0.334。

Q 자살률은 어느 정도인가?

A 한국의 자살율을 OECD 국가 가운데 가장 높은 수치를 기록하고 있으며, 하루 평균 36명에 이른다. 연령별로 보면 10대에서 30대까지의 사망률 가운데 압도적 1위가 자살이다. 특히 10대의 자살율이 점차 높아지고 있으며, 20대 여성의 자살율 또한 상승하고 있는 추세이다. 자살 원인으로 가장 큰 비중을 차지하고 있는 것은 우울증으로 추정되고 있다.

Q 한국의 세대 문제는?

A 한국에서 1990년대 민주화를 이끌어낸 세대를 일컬어 '386세대'라고 부른다. 386은 30대, 1980년대의 대학생, 1960년대에 태어난 사람들이라는 의미이다. 민주화 이후 이들이 사회 주류 세력으로 떠오르면서 시간이 흘러 486, 586세대로서 사회를 이끌어가는 세대로 성장했다. 이들에  반해 경제적 풍요 속에 태어나 자란 새로운 세대를 일컬어 MZ세대라고 부른다. 힘겨운 투쟁 끝에 민주화를 이루어냈다는 자부심을 가졌지만 고도성장기 취업 등에서 비교적 경쟁

Q 自殺率はどの程度か?

A 韓国の自殺率は OECD 加盟国の中で最も高い数値を記録しており、1日平均 36 人に達する。年齢別に見ると、10 代から 30 代までの死亡率の中で圧倒的な1位が自殺だ。特に 10 代の自殺率が次第に高まっており、20 代女性の自殺率も上昇傾向にある。自殺原因として最も大きな割合を占めているのはうつ病と推定されている。

Q 韓国の世代問題とは?

A 韓国で1990年代に民主化を引き出した世代を「386世代」と呼ぶ。386 は 30 代、1980 年代の大学生、1960 年代に生まれた人々という意味だ。民主化以後、彼らが社会主流勢力に浮上し、時間が流れ 486、586 世代として社会をリードする世代に成長した。これらに対し、経済的豊かさの中で生まれ育った新しい世代を「MZ 世代*」と呼ぶ。厳しい闘争の末、民主化を成し遂げたという自負心を持ったが、高度成長期の就職などで比較的競争なしに自分の地位を占めることができた社会主流世代と、豊かさの中で

＊1980年代前半から1996年頃に生まれたミレニアル世代とも呼ばれる「M世代」と、1997年頃から2010年頃に生まれた「Z世代」を合わせた韓国で一般的な通称。韓国語では「エムゼット」ではなく「エムジー」と発音する。「デジタルネイティブ(디지털원주민)」とも呼ばれる。

없이 자신의 지위를 차지할 수 있었던 사회 주류 세대와 풍요 속에서 자라났지만 끊임없는 경쟁을 통해 자신의 지위를 차지해야만 하는 젊은 세대 간의 갈등은 최근 들어 한국 사회에 심각한 세대 갈등을 낳고 있다. 특히 정치적으로 40~50세대가 진보를, 20~30대가 보수를 지지하는 경향을 띠고 있다.

Q 한국의 성별 문제는?

A 한국의 성별 갈등은 점차 확산되기 시작해서 최근에 이르러 폭발적으로 확대되면서 정치적, 사회적으로 큰 이슈가 되었다. 갈등의 최전선은 '차별'이다. 20대 남성은 '이미 평등한 세상에서 군대는 왜 남자만 가느냐'며 반발했다. 여성 할당제, 적극적 고용 개선 조치 등 여성의 사회 진출을 위해 고안된 모든 정책 또한 남성 차별이라고 주장했다. 20대 여성은 대체로 '취업이 남성에게 유리하다'며 구조화된 성차별에 분노했다. 일과 자유를 구속한다면 결혼·출산·육아를 보이콧하겠다고도 했다. 디지털로 무장한 이들은 소셜미디어와 온라인 커뮤니티를 통해 정치 세력화하는 중이다.

育ったが、絶え間ない競争を通じて自分の地位を占めなけ
ればならない若い世代間の葛藤は、最近になって韓国社会
に深刻な世代葛藤を生んでいる。特に政治的に 40〜50 代
が進歩を、20〜30 代が保守を支持する傾向を帯びている。

Q 韓国の性別問題とは?

A 韓国の性別葛藤は次第に広がり始め、最近になっ
て爆発的に拡大し政治的、社会的に大きなイシューになっ
た。葛藤の最前線は「差別」だ。20 代男性は、「すでに平
等な世の中で、軍隊はなぜ男性だけが行くのか」と反発し
た。女性割当制、積極的雇用改善措置など女性の社会進出
のために考案されたすべての政策もまた男性差別だと主張
した。20 代女性は概して「就職が男性に有利だ」として
構造化された性差別に怒った。仕事と自由を拘束するなら
ば結婚・出産・育児をボイコットするとも主張した。デジ
タルで武装した彼らはソーシャルメディアとオンラインコ
ミュニティを通じて政治勢力化している。

Q 성소수자는 어떤 취급을 받는가?

A 한국의 성소수자들은 법적 한계와 차별을 마주하며 살아간다. 현재 한국에서 동성애는 불법이 아니며 법령에 의해 개인의 성적 지향으로 인정하고 있지만 동성 결혼은 법제화하고 있지 않다. 대한민국 헌법이나 형법에 동성애가 언급되어 있지는 않지만, 국가인권위원회법 등에는 성적 지향에 대해 차별하지 말 것을 명시하고 있다. 한국에서는 만 19세 이상 성인에 한해 성전환 수술과 성별 정정 신청이 가능하다. 대표적으로 하리수는 한국 최초의 트랜스젠더 연예인으로 널리 알려져 있다. 성소수자에 대한 한국 사회의 인지성은 매우 낮은 수준이었으나 최근 들어 급격히 상승했다.

Q '숟가락 계급론'이란 무엇인가?

A 2010년대에 들어 20~30대의 학벌, 경력 등이 상향평준화되어서 고성장 시대(1980~90년대 당시 20~30대) 때 대기업 취업에 큰 도움이 되던 4년제 대학 졸업장이 너무나도 당연해졌고 공무원 또한 과거에는 낮은 급료와 긴 근무시간 등으로 인식이 나빴으나 현재는 안정된 직장으로서 인식이 매우 좋아짐으

Q 性的少数者はどのような扱いを受けるか?

A 韓国の性的少数者たちは法的限界と差別に直面して生きている。現在、韓国では同性愛は不法ではなく、法令によって個人の性的指向として認めているが、同性結婚は法制化されていない。大韓民国憲法や刑法に同性愛は言及されていないが、国家人権委員会法などには性的指向に対して差別しないことを明示している。韓国では満19歳以上の成人に限り、性転換手術と性別訂正申請が可能だ。代表的にハリスは韓国初のトランスジェンダー芸能人*として広く知られている。性的少数者に対する韓国社会の認知性は非常に低い水準だったが、最近になって急激に上昇した。

*出生時には男性だったが、性別適合手術を受けた後に戸籍上の性別変更が認められた。

Q 「スプーン階級論」とは何か?

A 2010年代に入って20~30代の学閥、経歴などが上方平準化され、高成長時代(1980~90年代当時20~30代)の大企業就職に大きく役立った4年制大学の卒業証書があまりにも当たり前になり、公務員も過去には低い給料や長い勤務時間などで認識が悪かったが、現在は安定した職場

로써 취업 경쟁이 심각해졌다. 취업 과정에서도 면접관들이 '누굴 합격시킬까'가 아닌 '누굴 불합격시킬까'에 혈안이 되는 문제가 발생했다. 여기서 집안, 학벌, 배경 및 다른 스펙 등을 보게 되면서, 각종 비리와 문제를 자조적으로 일컫는 '수저계급론'이라는 키워드가 뜨기 시작했다. 분류 기준은 부모가 자식을 뒷받침해주는 능력에 따라 결정되고, 그 능력치가 높으면 금수저, 낮으면 흙수저로 분류한다. 결과적으로 자식들 자체를 평가하는 기준이 아니라 자식을 통해 그들의 부모를 평가하는 기준이 된다.

として認識が良くなったことで就職競争が深刻になった。就職過程でも面接官が「誰を合格させるか」ではなく「誰を不合格にさせるか」に血眼になる問題が発生した。ここで家系、学閥、背景および他のスペックなどを見ることになり、各種不正と問題を自嘲的に称する「スプーン階級論」というキーワードが浮上し始めた。分類基準は両親が子どもを支える能力によって決まり、その能力値が高ければ金のスプーン、低ければ土のスプーンに分類する。結果的に子どもたち自身を評価する基準ではなく、子どもたちを通じて彼らの両親を評価する基準になる。

英語のイディオムである"born with a silver spoon in one's mouth"（銀のスプーンを咥えて生まれる＝裕福な家庭に生まれる）から派生した、親の資産や年収等によってランク付けする考え方。

한국의 가정

Q 결혼하면 누구의 성을 따르는가?

A 여성이 결혼하면 남편의 성을 따르는 일본, 미국 등과 달리 한국은 결혼하더라도 남편의 성을 따르지 않고 본래 가진 자신의 성을 유지한다.

Q '태몽'은 무엇인가?

A 태몽이란 아기가 잉태될 조짐을 알려주거나 그 아기의 운명을 예시하는 꿈이다. 태몽은 임신 전후나 분만 직전의 임산부가 주로 꾸는데 남편이나 시부모, 또는 친정부모 등도 꿀 수 있고, 간혹 형제자매들이 꾸는 경우도 있으며, 드물게는 친인척이 아닌 다른 사람이 꾸는 경우도 있다. 태몽의 의미는 아기를 언제쯤 잉태할 것이며, 그 아기의 성별은 무엇이고, 아기의 성품, 수명, 재운, 관운 등은 어떠할 것이며, 또한 장차 아기가 장성하여 사회·국가적으로는 어떤 영향을 미치게 될 것인가 하는 등의 운명적 추세를 예지함에 있다.

韓国の家庭

Q 結婚すればだれの姓に従うか?

A 女性が結婚すれば夫の姓を名乗る日本、米国など
と違って、韓国は結婚しても夫の姓に従わず、本来持って
いる自分の姓を維持する。

Q 「胎夢」とは何か?

A 胎夢とは、赤ちゃんが生まれる兆しを知らせたり、
その赤ちゃんの運命を例示する夢だ。胎夢は妊娠前後や分
娩直前の妊婦が主に見るが、夫や舅姑、または実家の両親
なども見ることができ、たまに兄弟姉妹や、まれに親戚で
はない他の人が見る場合もある。胎夢の意味は赤ちゃんを
いつ頃産むのか、その赤ちゃんの性別は何であり、赤ちゃ
んの性格、寿命、財運、官運などはどうであり、また将来
赤ちゃんが成長して社会・国家的にはどのような影響を及
ぼすのかなどの運命的傾向を予知することにある。*

*例えば、虎が
出てくる夢な
らその子は将
来官職に就
いて頭角を現
す、龍は非凡
な才能を開花
させる、果物
は美貌と富を
与える、などが
ある。

Q 아기가 태어나면 누구의 성을 따르는가, 부모가 이혼했을 때는?

A 한국 민법상 원칙적으로 아이는 부친(아버지)의 성을 따른다. 부모가 이혼하여 어머니가 양육할 경우 예외적으로 어머니의 성을 따를 수 있다. 한때 페미니즘의 영향으로 부모 성 함께 쓰기 운동이 일어나 사회적 이름으로 사용하기도 했다. 예를 들어, '김씨' 아버지와 '이씨' 어머니의 성을 함께 써 '김이○○' 식으로 사용하기도 했다.

Q 아기 이름을 붙여 '누구 엄마'라고 부르는 이유는?

A 유교사상의 영향을 많이 받은 한국은 전통적으로 결혼을 하게 되면 남편은 사회생활을 통해 가족을 부양하고 아내는 아이 양육과 집안일을 전담하는 것이 일반적이었다. 그래서 아이를 낳게 되면 여성(아내)의 이름 대신 아이의 이름을 붙여 '누구 엄마'라고 불렀다. 여성의 사회 진출이 점차 활발해지고 전통적인 가족 관계가 많이 사라진 현재, '누구 엄마'라고 불리기보다는 자신의 이름으로 불리기 원하는 여성이 더욱 많아졌다.

Q 赤ちゃんが生まれたら誰の姓に 従うのか、親が離婚したときは？

A 韓国民法上、原則的に子どもは父親の姓に従う。両親が離婚して母親が養育する場合、例外的に母親の姓に従うことができる。一時、フェミニズムの影響で父母姓を共に書く運動が起き、社会的名前として使用したりもした。例えば、「キム氏」の父親と「イ氏」の母親の姓を一緒に使って「キムイ○○」のように使ったりもした。

Q 赤ちゃんの名前をつけて 「誰のお母さん」と呼ぶ理由は？

A 儒教思想の影響を多く受けた韓国は、伝統的に結婚すれば、夫は社会生活を通じて家族を扶養し、妻は子育てと家事を専担するのが一般的だった。それで子どもを産むと女性（妻）の名前の代わりに子どもの名前を付けて「誰のママ」と呼ばれた。女性の社会進出が次第に活発になり、伝統的な家族関係が多く消えた現在、「誰のママ」と呼ばれるよりは自分の名前で呼ばれたい女性がさらに多くなった。

Q 부부간에는 서로 어떻게 부르는가?

A 결혼한 부부간에 남편은 아내에게 '여보', 아내는 남편에게 '당신'으로 부르는 것이 무난하고 권장되지만 실제로는 이름을 부르거나 오빠, 자기 등 연애 시절의 호칭을 그대로 사용하는 부부도 많이 있다.

Q 맞벌이 부부는 어느 정도인가?

A 만 14세 이하의 자녀를 둔 한국 부부 10쌍 중 3쌍가량만 맞벌이를 하며 이는 OECD 회원국 평균 맞벌이 비율 10쌍 중 6쌍의 절반 수준이다. 한국의 낮은 맞벌이 부모 비중은 남성의 장시간 노동, 낮은 가사분담률(무급노동시간 비중)과 밀접한 관련이 있다. 한국 남성의 가사분담률은 16.5%로 OECD 국가 중 일본(17.1%)을 제치고 최하위를 기록했다. 특히 하루 평균 가사노동 시간은 45분에 불과하다. 반면 주 50시간 이상 일하는 장시간 노동자 비율은 전체 노동자의 23.1%로 OECD 평균(13.0%)보다 10.1%포인트 높았다. 한국은 혼자서 가계 소득을 모두 책임지는 '외벌이' 비율도 46.5%로, OECD 평균(30.8%)보다 15.7% 포

Q 夫婦間ではどう呼ぶか？

A 結婚した夫婦の間で夫は妻に「ヨボ（おい）」、妻は夫に「タンシン（あなた）」と呼ぶのが無難で推奨されるが、実際には名前を呼んだりオッパ、チャギ（ダーリンやハニーのような甘い感じ）など恋愛の頃の呼称をそのまま使う夫婦も多くいる。

Q 共働き夫婦はどれくらいか？

A 満14歳以下の子どもを持つ韓国夫婦10組のうち3組程度が共働きで、これはOECD加盟国の平均比率10組のうち6組の半分だ。韓国の低い共働きの親の割合は、男性の長時間労働、低い家事分担率（無給労働時間の割合）と密接な関連がある。韓国男性の家事分担率は16.5%で、OECD加盟国のうち日本（17.1%）を抜いて最下位を記録した。特に一日の平均家事労働時間は45分に過ぎない。反面、週50時間以上働く長時間労働者の割合は全体労働者の23.1%でOECD平均（13.0%）より10.1%高かった。韓国は一人で家計所得を全て責任を負う「片働き」の

인트 높았다. 맞벌이 부부 양쪽이 모두 전일제 노동을 하는 경우는 20.6%, 전일제와 시간제 노동을 병행하는 비율은 8.8%에 그쳤다. OECD 평균은 각각 41.9%와 16.6%였다.

Q 국제결혼의 비율은 어느 정도인가?

A 한국의 국제결혼 비율은 전체 혼인 중 9.9%로 부부 10쌍 가운데 1쌍은 국제결혼을 한다. 국제결혼으로 한국에 거주하는 외국인 가운데 82%가 여성이며, 남성은 18%에 불과하다. 국제결혼 이민자의 국적은 중국, 베트남, 일본, 필리핀 등이 다수를 차지한다.

割合も 46.5% で、OECD 平均（30.8%）より 15.7% ポイント高かった。共働き夫婦が両方とも全日制労働をする場合は 20.6%、全日制と時間制労働を並行する比率は 8.8% に止まった。OECD 平均はそれぞれ 41.9% と 16.6% だった。

Q 国際結婚の割合はどの程度か?

A 韓国の国際結婚の割合は結婚全体の 9.9% で、夫婦 10 組に 1 組は国際結婚をする。国際結婚で韓国に居住する外国人のうち 82% が女性で、男性は 18% に過ぎない。国際結婚移民者の国籍は中国、ベトナム、日本、フィリピンなどが多数を占める。

한국의 의식주

Q 한복은 언제 입는가?

A 한국의 전통 의복인 한복은 현대에 와서는 일상복이 아닌 특별한 날에 입는 의복이 되었다. 한복을 입는 대표적인 날은 최대의 명절인 설날과 추석, 그리고 결혼식이다. 하지만 이마저도 지금에 이르러서는 많이 사라지고, 오히려 경복궁 등 문화재 관광 시에 한복 체험을 하는 젊은이를 많이 볼 수 있다. 이와는 별개로 생활 한복이라는 이름의 일상복으로 입을 수 있는 개량 한복을 입는 사람도 많이 생겼다. 한국인들은 일본의 '치마저고리'라는 단어에 부정적인 느낌을 받는 경우가 많기에 주의할 필요가 있다.

Q 한복의 색이나 무늬에는 어떤 의미가 있는가?

A 전통적으로 상류층이 입었던 한복은 색감이 아주 다양했으며 보통 어린 아이들은 다홍색이나 노란색 등 밝은 색을 많이 입고 중년층은 조금 더 중후한 색상을 즐겨 입었다. 그러나 대

韓国の衣食住

Q 韓服はいつ着るか?

A 　韓国の伝統的な衣服である韓服は、現代では日常
服ではなく特別な日に着る衣服になった。韓服を着る代表
的な日は最大の祝日である旧正月と秋夕、そして結婚式だ。
しかし、これさえも今に至っては多くが消え、むしろ景福
宮など文化財観光の際に韓服体験をする若者を多く見るこ
とができる。これとは別に、生活韓服という名前の日常服
として着られる改良韓服を着る人も多くなった。韓国人は
日本の「チマチョゴリ*」という単語に否定的な感じを受　*☞p.51
ける場合が多いので注意が必要だ。

Q 韓服の色や柄に何か意味はあるか?

A 　伝統的に上流層が着ていた韓服は色味が非常に多
様で、普通幼い子どもたちは紅色や黄色など明るい色を多
く着て中年層はもう少し重厚な色を好んで着た。しかし、

부분의 사람들(서민)은 평상시 흰색 한복만을 입었고 흰 옷을 숭상한다는 의미의 '백의민족'이라는 별칭이 생겼다. 상류층의 한복은 문양 또한 다양하여, 식물과 동물, 기하학 형태 등 여러 종류의 무늬가 들어간 한복을 입었다. 각 문양은 하나하나가 각각의 독특한 의미를 지니며 일례로 학은 고고하고 청초한 이미지를 나타내 길상을 상징했다. 호랑이나 용은 학과 더불어 신분의 고귀함을 나타냈다.

현대의 한복은 특별한 날에 입는 예복의 기능을 하면서 생활의 편리성보다는 미적인 기준에 더욱 중점을 두게 되었다. 이에 따라 색이나 무늬가 과거에 비해 화려하고 다양해졌으며, 소재나 형태 또한 아름다움을 강조하는 쪽으로 변화했다.

Q 한국인에게 김치는 얼마나 중요한 것인가?

A 김치는 흔히 한국인의 소울푸드라고 불리는 한국을 상징하는 음식이다. 한국인이 언제부터 김치를 먹기 시작했는지 그 유래는 밝혀져 있지 않지만, 밥을 주식으로 하는 한국은 김치를 비롯한 여러가지 반찬 문화가 발달해 있다. 발효음식인 김치는 장기간 보관이 가능하기 때문에 반찬거리를 구하기 힘든 겨울철에 대비해 늦가을에서 초겨울이 되면 집집마다 또는 마을 단위로 대규모로 김치를 담그는데 이를 '김장'이라고 한다. 김치는 만드는 재료에 따라 수많은 종류가 있지만, 배추로 담그는 '배추김치'와

ほとんどの人（庶民）は普段白い韓服だけを着ており、白い服を崇めるという意味の「白衣民族」という別名ができた。上流層の韓服は模様も多様で、植物や動物、幾何学の形など様々な種類の模様が入った韓服を着た。各文様は一つ一つがそれぞれ独特の意味を持ち、一例として鶴は孤高で清楚なイメージを示し吉祥を象徴した。虎や龍は鶴とともに身分の尊さを表した。

　現代の韓服は特別な日に着る礼服の機能を果たし、生活の利便性よりは美的な基準に重点を置くようになった。これに伴い、色や模様が過去に比べて華やかで多様になり、素材や形もまた美しさを強調する方向に変化した。

Q 韓国人にとってキムチはどれくらい大事なもの？

A キムチは韓国人のソウルフードと呼ばれる韓国を象徴する食べ物だ。韓国人がいつからキムチを食べ始めたのか、その由来は明らかにされていないが、ごはんを主食とする韓国はキムチをはじめとする様々なおかず文化が発達している。発酵食品であるキムチは長期間保管が可能なため、おかずが手に入らない冬季に備えて晩秋から初冬になると、家ごとまたは村単位で大規模にキムチを漬けるが、これを「キムジャン」という。キムチは作る材料によっ

무로 담그는 '깍두기'가 대표적이다. 한국인의 식생활에서 김치는 밥과 함께 먹는 기본적인 반찬에 속하기에 한국의 식당에서도 김치는 무료로 제공되는 것이 대다수다. 예전의 여성들은 시집 가기 전에는 친정어머니에게, 시집을 간 후에는 시어머니에게 김치 담그는 법을 배웠으나, 현재는 집마다 '김장'을 하는 문화는 점차 사라지고 공장에서 대량 생산된 김치를 사먹는 것이 일반화되는 추세이다.

Q 식탁에 작은 반찬들을 잔뜩 늘어놓는 건 왜?

A 한국 식당에서 음식을 시키면 주요리 외에 다양한 반찬이 무료로 함께 나오는 것을 보고 놀라는 외국인이 많이 있다. 한국은 옛날부터 밥을 주식으로 해왔고, 밥과 국(또는 찌게), 반찬을 함께 먹는 것이 기본적인 식생활이었다. 따라서 식당에서 된장찌게나 김치찌게 같은 주메뉴를 시키면 밥과 반찬이 세트로 나오는 것이 일반적이다. 반찬에는 김치를 비롯해 나물류, 젓갈류 등 수많은 종류가 있고 반찬 맛에 따라 그 식당의 음식솜씨가 평가되는 경우도 많이 있다. 이러한 반찬류는 식당에서 추가로 주문해도 무료이므로 마음껏 즐기기 바란다.

て数多くの種類があるが、白菜で漬ける「白菜キムチ」と大根で漬ける「カクテキ」が代表的だ。韓国人の食生活でキムチはごはんと一緒に食べる基本的なおかずに属するため、韓国の食堂でもキムチは無料で提供されるのが大多数だ。以前の女性たちは嫁ぐ前は実家の母親に、嫁いだ後は姑にキムチの漬け方を習ったが、現在は家ごとに「キムジャン」をする文化は次第に消え、工場で大量生産されたキムチを買って食べるのが一般化している。

Q 食卓に小さいおかずをたくさん並べるのはなぜ？

A 韓国食堂で料理を注文すると、メイン料理の他に様々なおかずが無料で一緒に出てくるのを見て驚く外国人がたくさんいる。韓国は昔からごはんを主食としており、ごはんとスープ（またはチゲ）、おかずを一緒に食べるのが基本的な食生活だった。したがって、食堂で味噌チゲやキムチチゲのようなメインメニューを注文すれば、ごはんとおかずがセットで出てくるのが一般的だ。おかずにはキムチをはじめ、ナムル類、塩辛類など数多くの種類があり、おかずの味によってその食堂の料理の腕前が評価される場合も多くある。このようなおかず類は食堂で追加注文しても無料なので、思う存分楽しんでほしい。

Q 인사 대신에 "밥 먹었어?"라고 말하는 것은 왜?

A 한국인의 인사법 가운데 독특한 것으로 '밥 먹었어?'라는 말이 있다. 한국인에게 이 말을 들은 외국인은 '혹시 나를 식사에 초대하는 건가?', '나와 같이 밥을 먹자는 얘긴가?' 하고 오해하기 쉽지만 그런 뜻은 전혀 없는 단순한 인사말일 뿐이다. 한국에서 언제부터 이 말이 쓰였는지는 확실하지 않지만, 빈곤했던 시절에 생겨난 인사말이란 것에 대체로 동의한다. 가난해서 끼니를 때우기 힘들던 시절 "밥 먹었어?"는 끼니를 거르지 않고 아무탈 없이 건강하게 지내고 있는지를 묻는 말로 통했다. 풍요로운 사회가 되어 돈이 없어서 밥을 못 먹는 사람이 거의 없어진 현대에도 이 말은 남아서, 상대가 건강하게 잘 지내는지 묻는 인사말로 사용되고 있다.

Q 한국에서는 왜 배달문화가 발달해 있는가?

A 한국에서 음식배달의 대중화를 이끈 것은 1970년대에 동네마다 생겨난 중국집이었다. 협소하고 영세한 동네 중국집들은

Q 挨拶代わりに「ごはん食べた?」って よく言うのはなぜ?

A 韓国人の挨拶の仕方の中で独特なものとして「ごはん食べた?」という言葉がある。韓国人にこの言葉を聞いた外国人は「もしかして私を食事に招待するのか?」、「私と一緒にごはんを食べようという話なのか?」と誤解しがちだが、そのような意味は全くない単純な挨拶に過ぎない。韓国でいつからこの言葉が使われるようになったのか定かではないが、貧しかった時代に生まれた挨拶だということに概ね同意する。貧しくて食事が取れなかった時代、「ごはん食べた?」という食事を欠かさず何の問題もなく元気に過ごしているかを尋ねる言葉で通じた。豊かな社会になってお金がなくてごはんを食べられない人がほとんどいなくなった現代でもこの言葉は残り、相手が元気に過ごしているかを尋ねる挨拶として使われている。

Q 韓国ではなぜ出前文化が発達しているのか?

A 韓国で出前の大衆化を導いたのは1970年代に町内ごとにできた中華料理店だった。狭くて零細な町内の中

가게에 테이블을 많이 들여놓을 공간이 없기에 요리를 만들어서 각 가정이나 사무실에 배달하는 방법으로 영업을 했다. 당시 각 가정마다 전화기 보급이 되어 있던 시대여서 전화 한 통으로 간단히 집에서 식사가 가능한 배달음식에 대한 수요가 늘어났다. 이후 1990년대 치킨집, 피자집이 유행하면서 배달음식의 범위가 넓어졌고 스마트폰 보급이 일반화된 현재는 배달앱을 통해 커피 1잔도 배달해 마실 수 있을 정도로 배달문화가 일상화되었다. 1인 가구가 점차 증가하여 집에서 요리를 하지 않는 사람들이 늘어난 것 또한 배달문화 발달에 기여했다.

Q 한국인 중에도 매운 음식을 못 먹는 사람이 있는가?

A 한국의 음식은 대부분 맵고 짠 것으로 유명하다. 한국인의 주식은 밥이기에 밥과 함께 먹는 반찬은 상대적으로 자극적인 맛을 가지게 되었다. 한국을 상징하는 김치류를 비롯하여 떡볶기, 닭갈비, 찌게류, 라면류 또한 매운 맛이 인기가 많다. 물론 한국인이라고 모두 매운 음식을 잘 먹는 것은 아니다. 어렸을 때부터 매운 맛에 익숙해져 있기는 하지만 사람에 따라 매운 음식을 못 먹거나 싫어하는 사람도 많이 있다. 한국인이라고 모두 매운 음식을 잘 먹을 수 있다는 것은 선입견일 뿐이다.

華料理店は店にテーブルを多く入れる空間がないため、料理を作って各家庭や事務室に配達する方法で営業をした。当時、各家庭に電話機が普及していた時代なので、電話一本で簡単に家で食事ができる出前料理に対する需要が増えた。その後、1990年代にチキン屋、ピザ屋が流行し、配達料理の範囲が広くなり、スマートフォン普及が一般化された現在は、配達アプリを通じてコーヒー1杯も配達して飲めるほど配達文化が日常化した。単身世帯が次第に増加し、家で料理をしない人が増えたのもまた配達文化の発達に寄与した。

Q 韓国人でも辛いものが苦手な人はいるの?

A 韓国の食べ物はほとんど辛くてしょっぱいもので有名だ。韓国人の主食はごはんなので、ごはんと一緒に食べるおかずは相対的に刺激的な味を持つようになった。韓国を象徴するキムチ類をはじめ、トッポッキ、タッカルビ、チゲ類、ラーメン類も辛い味が人気だ。もちろん、韓国人だからといって、皆辛い食べ物がよく食べられるわけではない。幼い頃から辛さに慣れてはいるが、人によっては辛いものが苦手だったり嫌いな人もたくさんいる。韓国人だからといって、皆辛い食べ物がよく食べられるというのは

Q 한국인이 즐겨 먹는 고기는?

A 한국은 예전부터 육식 문화가 존재했고, 고기를 활용한 다양한 요리를 즐겼다. 주로 먹는 고기는 소고기, 돼지고기이며 숯불구이(일본의 야키니쿠)가 일반적이다. 소고기의 경우 일본의 와규처럼 한국산 소를 한우라고 부르며 갈비, 안심, 등심 등을 먹고, 돼지고기는 삼겹살이 대표적이다. 돼지고기에 비해 한우가 가격이 훨씬 높다.

그 외에도 닭고기 또한 한국인이 즐겨 먹는 고기이다. 전통적으로는 백숙이나 삼계탕 같은 삶은 닭고기가 주류였으나, 치킨 같은 튀긴 닭고기가 대유행을 하면서 지금은 수많은 프랜차이즈 치킨 가게가 성황이다. 치킨은 한국의 배달 문화와 접목하면서 한국인 누구나가 집에서 편하게 먹을 수 있는 대표적인 식품이 되었다.

先入観に過ぎない。

Q 韓国人が好んで食べるお肉は？

A 　韓国は昔から肉食文化が存在し、肉を活用した多
様な料理を楽しんだ。主に食べる肉は牛肉、豚肉で、炭火
焼き（日本の焼肉）が一般的である。牛肉の場合、日本の
和牛のように韓国産牛を韓牛と呼び、カルビ、ヒレ、ロー
スなどを食べ、豚肉はサムギョプサルが代表的だ。豚肉に
比べて韓牛の方が価格がはるかに高い。

　その他に鶏肉も韓国人が好んで食べる肉である。伝統的
には水炊きや参鶏湯のようなゆで鶏肉が主流だったが、チ
キンのような揚げた鶏肉が大流行し、今は数多くのフラン
チャイズチキン店が盛況だ。チキンは韓国の配達文化と融
合し、韓国人なら誰でも家で気楽に食べられる代表的な食
品となった。

Q 한국인이 즐겨 마시는 술은?

A 여러 종류의 술을 즐기는 일본과는 달리 한국에서 술이라고 할 때 대표적인 것은 초록색 병에 담긴 소주이다. 사람에 따라 편차는 있지만 대체로 한국인은 술을 섞어 마시는 것(여러 종류를 마시는 것)을 좋아하지 않는다. 가령 맥주 전문점에서는 맥주만, 술집에서는 소주만 마시는 것이 일반적이다. 한국의 전통적인 술이라고 하면 대표적인 것이 막걸리이다. 몇 년 전만 해도 막걸리는 중장년층의 술이라는 인식이 많았지만 최근 들어 막걸리를 즐기는 젊은층도 점차 늘고 있는 추세이다.

Q 치맥(치킨+맥주)처럼 이 술에는 이 안주 같은 조합이 있는가?

A 프랜차이즈 치킨 가게가 배달 문화와 더불어 대유행을 하면서 치킨과 함께 마시는 술로 맥주가 대세가 되었고 급기야 치맥이라는 신조어까지 생겨났다. 치맥은 보통 야구나 축구 같은 운동경기를 보면서 먹는 대표적인 음식이 되었고, 집에서뿐만 아니라 경기장 같은 야외에서 치맥을 즐기는 문화가 생겼다. 이 외에도

Q 韓国人が好んで飲むお酒は？

A いろんな種類のお酒を楽しむ日本とは違って、韓国でお酒というときに代表的なのは緑色の瓶に入った焼酎だ。人によって差はあるが、概して韓国人はお酒を混ぜて飲むこと（いろいろな種類を飲むこと）を好まない。例えばビール専門店ではビールだけ、飲み屋では焼酎だけ飲むのが一般的だ。韓国の伝統的なお酒といえば代表的なのがマッコリだ。数年前まではマッコリは中高年層の酒という認識が多かったが、最近になってマッコリを楽しむ若者層も次第に増えている。

Q 「チメク（チキン＋ビール）」のように 「このお酒にはこのおつまみ」のような組み合わせってあるのか？

A フランチャイズチキン店が配達文化と共に大流行し、チキンと一緒に飲むお酒でビールが主流になり、ついに「チメク」という新造語まで生まれた。チメクは普通野球やサッカーのようなスポーツを見なが

술과 안주의 조합으로 '파전에는 막걸리'라는 말이 있다. 그럼에도 불구하고 안주와 무관하게 한국인의 주류 소비에서 부동의 1위를 차지하고 있는 것은 초록색 병에 담긴 소주이다.

Q 왜 한국의 식기는 금속인가?

A 쌀을 주식으로 사용하는 국가 가운데 금속 식기를 사용하는 나라는 한국이 유일하다고 한다. 옛날에는 밥그릇과 수저를 비롯해서 국과 반찬 또한 금속 식기에 담아 먹었다. 한국의 전통적인 금속 식기는 보온, 보냉효과와 더불어 살균효과가 뛰어났기 때문이라고 한다. 현재는 도자기 그릇을 사용하는 경우가 많이 늘었으나 식당 등에서 밥그릇만은 금속 그릇을 사용하는 곳이 여전히 많이 있다. 온돌 생활을 하는 한국인은 열 전도율이 높은 금속 그릇에 밥을 담아 따뜻한 방바닥에 이불을 덮어 보관하던 습관이 있었다.

ら食べる代表的な食べ物になり、家だけで
なく競技場のような野外でチメクを楽しむ
文化ができた。この他にも酒とつまみの組
み合わせで「パジョン（ネギチヂミ）には
マッコリ」という言葉がある。にもかかわ
らず、つまみとは関係なく、韓国人の酒類
消費で不動の1位を占めているのは緑色の
瓶に入った焼酎だ。

ちなみに韓国で「雨の日はチヂミを食べる」
とよくいわれるが、これは雨が降る音からチヂ
ミを焼く音が連想されるため、という説がある。

Q なぜ韓国の食器は金属なのか？

A 米を主食とする国の中で金属食器を使用する国は
韓国が唯一だという。昔は茶碗とスプーンと箸をはじめ、
スープとおかずも金属食器に盛って食べた。韓国の伝統的
な金属食器は保温、保冷効果とともに殺菌効果に優れてい
たためだという。現在は陶磁器の器を使う場合が多く増え
たが、食堂などで茶碗だけは金属の器を使うところが依然
として多くある。オンドル生活をする韓国人は、熱伝導率
の高い金属製の器にごはんを盛って暖かい部屋の床に布団
をかけて保管する習慣があった。

Q 전통적인 거주지는 어떤 것인가?
한옥은?

A 한옥이란 한국의 전통가옥 형태로 한반도의 환경과 한국인의 재래식 의식주 생활 패턴에 맞춰 발전한 여러 특징들이 있으며 흔히 목조 구조의 기와집을 떠올리지만, 볏짚과 황토로 지은 초가집도 한옥의 범위에 속한다. 지역이나 재산, 지위에 따라 다르지만 주로 나무, 흙, 돌, 짚 등을 이용하여 만든다. 나무와 짚으로 뼈대를 만들고 황토를 발라 벽을 만든 뒤 어느 정도 굳으면 한지를 붙여 마무리한다. 돌의 경우엔 밑돌로 쓰며 온돌을 내장시키고 주방과 연결한다. 때문에 주방은 방보다 낮은 곳에 위치하여 남는 지붕칸에 다락을 만들어 썼다. 지붕도 위의 재료들 중 하나를 선택하여 쌓아놓는다. 부자집의 경우엔 기와로 지붕을 덮었다. 현재는 서울 일부 지역과 전주 한옥마을 등 관광지에 일부 남아 있다.

（左）藁葺き屋根の韓屋、（右）瓦葺き屋根の韓屋

Q 伝統的な住まいはどのようなものか？韓屋とは？

A 韓屋とは韓国の伝統家屋の形で、朝鮮半島の環境と韓国人の伝統式の衣食住生活パターンに合わせて発展した様々な特徴があり、よく木造構造の瓦葺き屋根の家を思い浮かべるが、藁と黄土で建てられた藁葺き屋根の家も韓屋に属する。地域や財産、地位によって異なるが、主に木、土、石、藁などを利用して作る。木と藁で骨組みを作り、黄土を塗って壁を作り、ある程度固まったら韓紙を貼って仕上げる。石の場合は、下の石として使い、オンドルを内蔵させ、キッチンと連結する。そのため、キッチンは部屋より低いところに位置し、残る屋根の間に屋根裏部屋を作って使った。屋根も上記の材料の中から一つを選んで積み重ねておく。金持ちの家の場合は瓦で屋根を覆った。現在はソウルの一部地域と全州韓屋村など観光地に一部残っている。

Q 온돌은 무엇인가?

A 온돌 또는 구들, 방구들은 방바닥을 따뜻하게 하는 한국의 전통적인 가옥 난방 시스템이다. 한옥의 아궁이에서 불을 피우고, 아궁이에서 생성된 열기를 머금은 뜨거운 연기가 방바닥에 깔린 구들장 밑을 지나면서 난방이 되고, 그 연기는 구들장 끝 굴뚝으로 빠져나가는 방식의 난방 시스템이다.

서양의 벽난로나 일본의 이로리 등은 열원을 직접 이용하는 난방 장치인 데 비해, 온돌은 열기로 구들장과 구들장 아래의 고래를 데워 발생하는 '간접 복사열'을 난방에 사용한다는 특징이 있다. 때문에 잘 만든 구들장이라면, 아궁이에서 직접적인 열원을 제거한 이후에도 구들장의 열기가 비교적 장시간 지속된다. 좋은 구들의 조건은 이 잔류 온기가 얼마나 오래 가는가에 달려 있다. 단점은 방바닥이 갈라지거나 깨지면 연기가 올라와서 일산화탄소 중독을 일으킬 수 있고, 또 다른 단점은 온돌의 구조상 아랫목과 윗목에 온도차가 발생한다는 점이다.

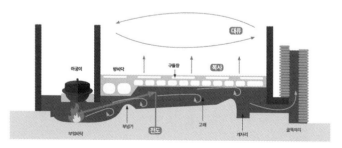

オンドルのしくみ

Q オンドルって何？

A オンドルまたはクドゥル、バンクドゥルは床を温める韓国の伝統的な家屋暖房システムである。韓屋のかまどから火を起こし、かまどから生成された熱気を含んだ熱い煙が部屋の床下に敷かれたクドゥルジャン（板石）の下を通りながら暖房され、その煙はオンドルの端の煙突から抜け出る方式の暖房システムだ。

　西洋の暖炉や日本の囲炉裏などは熱源を直接利用する暖房装置であるのに比べ、オンドルは熱気でクドゥルジャンとオンドルの下のコレ（空気の通りみち）を温めて発生する「間接輻射熱」を暖房に使うという特徴がある。そのため、よくできたオンドルなら、かまどから直接的な熱源を除去した後もオンドルの熱気が比較的長時間持続する。良いオンドルの条件は、この残った温もりがどれくらい続くかにかかっている。短所は、床が割れたり壊れたりすると煙が上がって一酸化炭素中毒を起こす恐れがあり、またオンドルの構造上、焚き口に近い部分と反対側の煙突に近い部分とに温度差が発生するという点だ。

Q 옥탑방, 반지하는 무엇인가?

A 영화 <기생충>을 통해 한국 빈민층의 거주 형태 가운데 반지하라는 것이 널리 알려졌다. 반지하는 말 그대로 반은 지상에, 반은 지하에 위치하고 있는 주거공간을 의미한다. 채광창은 사람이 밖에 섰을 때 발쪽에 위치하고 있다. 이와 비슷한 빈민층 주거 공간으로 반지하와는 반대 개념인 옥탑방도 존재한다. 옥탑방은 보통 건물의 옥상에 설치한 구조물로 생활이 가능한 공간으로 개조한 것을 말한다. 반지나 옥탑방 외에도 고시원이라 불리는 공동생활 공간도 있는데, 보통 책상 하나, 침대 하나 정도 들어가는 작은 개인실에 주방이나 화장실, 욕실 등은 공동으로 이용하는 구조이다. 고시원, 옥탑방, 반지하 등은 도시로 과밀집한 인구로 인해 생겨난 한국의 독특한 주거공간이다.

Q 한국에서는 어떻게 집(방)을 구하는가?

A 한국에서 집을 구하려면 부동산중개사를 통하는 것이 가장 빠르고 간편하다. 원하는 지역에 위치한 부동산중개업소를 찾아 원하는 가격, 평수, 옵션 등을 애기하는 그 지역의 매물들을 둘러볼 수 있다. 한국에서는 집이나 방을 구할 때 매매나 임대

Q 屋根部屋、半地下って何?

A 映画『パラサイト 半地下の家族』を通じて、韓国貧民層の居住形態の中で半地下というものが広く知られた。半地下は文字通り半分は地上に、半分は地下に位置している住居空間を意味する。採光窓は人が外に立ったときに足側に位置している。これと似た貧民層の住居空間で、半地下とは反対概念の屋根部屋も存在する。屋根部屋は普通建物の屋上に設置した構造物で生活が可能な空間に改造したものをいう。半地下や屋根部屋の他にも考試院(コ シ ウォン)と呼ばれる共同生活空間もあり、普通は机一つ、ベッド一つ程度入る小さな個室にキッチンやトイレ、浴室などは共同で利用する構造だ。考試院、屋根部屋、半地下などは都市で過密な人口によって生まれた韓国独特の住居空間だ。

Q 韓国ではどうやって家(部屋)探しをするのか?

A 韓国で家を探すためには不動産仲介会社を通すのが一番早くて手軽だ。希望する地域に位置する不動産仲介業者を訪れ、希望する価格、坪数、オプションなどを話してその地域の物件を見学することができる。韓国では家や

(월세) 외에 특수한 제도로 전세 제도라는 것이 있다. 전세권자
(임차인, 주택을 빌리는 사람)가 전세금을 주택 소유자(임대인, 주
택을 빌려주는 사람)에게 예탁하는 조건으로 주택을 임차한 뒤
계약 기간이 끝나면 전세금을 100% 돌려받고 나가는 것을 말한
다. 부동산 임대료를 따로 내지 않는다는 점에서 월세와 차별화
된다. 최근에는 스마트폰 앱을 통해 해당 지역의 매물 등을 미리
확인할 수 있다.

部屋を探す際に売買や賃貸（家賃）の他に特殊な制度とし
て伝貰制度というのがある。伝貰権者（賃借人、住宅を
借りる人）が伝貰金を住宅所有者（賃貸人、住宅を貸す人）
に預託する条件で住宅を賃借した後、契約期間が終われば
伝貰金を 100% 返してもらうことができる。不動産賃貸料
を別途払わないという点で家賃とは差別化される。最近は
スマートフォンアプリを通じて該当地域の売り物件などを
事前に確認することができる。

教えてキムさん！ もっと気になる韓国の なぜ？ なに？

私も韓国でいう「MZ世代」ですが、日本では「アラサー」と呼ばれる年になりました。結婚とか出産とか周りからいろいろ言われるようになることが増えてきました……。これは韓国でも同じですか？

저도 한국에서 말하는 'MZ세대'인데, 일본에서는 '아라사'라고 불리는 나이가 되었습니다. 결혼이라든가 출산이라든가 주위에서 여러가지 말을 듣게 되는 경우가 많아졌습니다…… 이것은 한국에서도 마찬가지인가요?

ないことはないですが、今は結婚や出産が女性の人生において重要ではないという流れになってきています。自分のキャリアをどうするか、自分でどうやってお金を稼いでいくかを考える人の方が多いですね。

없는 것은 아니지만, 지금은 결혼이나 출산이 여성의 삶에 있어서 중요하지 않다는 흐름으로 가고 있습니다. 자신의 경력을 어떻게 할지, 스스로 어떻게 돈을 벌어야 할지 생각하는 사람이 더 많네요.

「自分の」人生を生きよう、という感じですね。私はたまにしか会わない親戚の人から、電話したり会ったりして二言目には「結婚相手はいるの？」って言われるんです。本当は堂々としていたいけど、いつも笑ってごまかしています。

'내' 인생을 살자, 이런 느낌이네요. 저는 가끔씩만 보는 친척들이 전화하거나 만나거나 하면 인사하자마자 '결혼 상대가 있어?'라고 하더라고요. 사실 당당하게 얘기하고 싶지만 항상 웃으면서 넘어가고 있어요.

韓国でも旧正月や秋夕になると本家に親族が集まりますが、そのときに禁止されている言葉は「いつ結婚するの？」です。それを言われるのが嫌で帰りたくない、という人もいるくらいですから。

韓国でも설날이나추석이되면본가에친족이모이게되는데,그때금지시되어있는말이'언제결혼해?'입니다.그말을듣는것이싫어서집에가고싶지않다는사람도있을정도니까요.

その気持ち、とてもよくわかります。

그 마음 너무 잘 알아요.

他にも受験生に対して「どこの大学に行くの?」とか、結婚した人に「子どもはいつできるの?」と聞くのも今はダメです。もしそれを言ったら、周りから「コンデ(年寄り)」扱いされるかもしれません。

그 밖에도 수험생에게 '어느 대학에 가니?'라든가, 결혼한 사람에게 '아이는 언제 낳을 거니?'라고 묻는 것도 지금은 안 됩니다. 만약 그렇게 물으면, 주위에서 '꼰대' 취급을 받을지도 모릅니다.

日本でいう「老害」みたいな感じですか?

일본에서 말하는 '늙다리' 같은 느낌인가요?

昔から使われていた言葉ですが、もともとは親や先生、お年寄りなど権威的な人を指していました。今では、自分が一歳でも年上というだけで、年下の人に自分の経験やアドバイスをわざわざ話してくる人を指すので、お年寄りだけではなくて若いコンデもいるんですよ。そういう人たちは「自分のころは~」と話し出すので、発音が近い「ラテ」という言葉も生まれました。

옛날부터 사용되던 말인데, 원래는 부모나 선생님, 어르신 등 권위적인 사람을 가리켰습니다. 지금은 자신이 한 살이라도 나이가 많다는 것만으로, 연하의 사람에게 자신의 경험이나 조언을 억지로 이야기하는 사람을 가리키기 때문에, 어르신뿐만 아니라 젊은 꼰대도 있습니다. 그런 사람들은 '나 때는~'이라고 이야기를 시작해서 발음이 가까운 '라떼'라는 말도 생겨났습니다.

うわ~。カフェラテなら好きだけど、その「ラテ」は私も嫌いです!

우와 카페라떼라면 좋아하는데 그 라떼는 저도 싫어요!

챕터 **6**
한국의 문화와 관습

Chapter **6**
韓国の文化と慣習

한국의 아트

Q 한국의 전통 미술을 말한다면?

A 한국의 미술은 한반도 및 주변 지역에서 발생했던 미술로, 고분벽화, 불화, 문인화, 산수화 같은 평면 시각매체 예술과 불상, 석탑, 도자기 같은 입체 시각매체 예술을 포함한다. 한국 미술사에서 미술은 서예 같은 다른 시각예술이나, 궁궐, 한옥 같은 건축 예술, 시조, 향가와 같은 문학 예술, 판소리, 탈춤과 같은 공연 예술과 연관을 맺으며 발전해왔다.

통일신라시대를 대표하는 유적은 불국사와 석굴암이다. 불국사의 석가탑과 다보탑은 한반도의 석탑 양식을 대표하는 유물이다. 고려시대를 대표하는 청자는 세계적으로 그 아름다움을 인정받는 도자기 예술의 정수이다. 조선시대를 대표하는 세 명의 화가로 정선은 옛 중국 그림을 모방해 도식적으로 그림을 그리는 것이 아니라 실제 경치를 보고 그린 진경산수화를 남겼다. 김홍도는 당시 서민들의 풍속을 익살스러운 필채로 그림에 담았

申潤福『月下情人』

韓国のアート

Q 韓国の伝統芸術といえば？

A 韓国の美術は朝鮮半島および周辺地域で発生した美術で、古墳壁画、仏画、文人画、山水画のような平面視覚媒体芸術と、仏像、石塔、陶磁器のような立体視覚媒体芸術を含む。韓国美術史で美術は書道のような他の視覚芸術や宮殿、韓屋のような建築芸術、時調、郷歌*のような文学芸術、パンソリ*、タルチュム（仮面踊り）のような公演芸術と関連を結んで発展してきた。

*時調は朝鮮の定型詩。郷歌は朝鮮語の歌謡。

*☞p.265

統一新羅時代を代表する遺跡は仏国寺と石窟庵である。仏国寺の釈迦塔と多宝塔は朝鮮半島の石塔様式を代表する遺物だ。高麗時代を代表する青磁は世界的にその美しさを認められている陶磁器芸術の精髄である。朝鮮時代を代表する３人の画家で、鄭敾は昔の中国の絵を模倣して図式的に絵を描くのではなく、実際の景色を見て描いた真景山水画を残した。金弘道は当時の庶民の風俗を滑稽な筆彩で絵に描いた。申潤福は当時の両班士大夫たちの享楽生

鄭敾『金剛全図』／湖巌美術館所蔵（国宝）

다. 신윤복은 당시 양반 사대부들의 향락 생활을 화폭에 담아냈다. 이 외에 서민들을 대상으로 한 민화가 발달하기도 했다.

Q 현대 미술은 누가 유명한가?

A 이중섭은 한국의 서양화가로 그의 작품에는 소, 닭, 어린이, 가족 등이 가장 많이 등장하는데, 향토적 요소와 동화적이고 자전적인 요소가 주로 담겼다는 것이 소재상의 특징이라 할 수 있다. 이중섭과 쌍벽을 이루는 서양화가 박수근은 회백색을 주로 쓰면서, 단조로우나 한국적인 주제를 소박한 서민적 감각으로 다루었다. 한국 출신의 미국 국적자 백남준은 특유의 파격적인 예술 세계로 유명하며, '비디오 아트'라는 예술 세계를 개척한 세계적인 예술가지만, 비디오 아트 이전 시절에는 전위예술 퍼포먼스 아티스트였다. 전 세계 방방곡곡을 돌아다니며 작품 활동을 했다.

活を画幅に盛り込んだ。この他に庶民を対象にした民話が
発達したりもした。

Q 現代芸術では誰が有名か?

A 李仲燮は韓国の西洋画家で、彼の作品には牛、鶏、
子供、家族などが最も多く登場するが、郷土的要素と童話
的で自伝的な要素が主に含まれているというのが素材上の
特徴といえる。李仲燮と双璧をなす洋画家の朴壽根は灰白
色を主に使い、単調だが韓国的なテーマを素朴な庶民的感
覚で扱った。韓国出身のアメリカ国籍者白南準(ナムジュ
ン・パイク)は特有の破格的な芸術世界で有名で、「ビデ
オアート」という芸術世界を開拓した世界的な芸術家だが、
ビデオアート以前の時代は前衛芸術パフォーマンスアー
ティストだった。全世界の津々浦々を歩き回りながら作品
活動をした。

Q 유명한 미술관, 박물관은 어디인가?

A 국립현대미술관, 시울시립미술관 등 국가 및 지자체가 운영하는 미술관을 비롯하여 수많은 특색 있는 사립미술관이 전국에 산재해 있다. 대기업 삼성의 창업자가 설립한 리움미술관, 유명 서양화가 김환기의 이름을 딴 환기미술관 등은 서울에서 쉽게 찾아갈 수 있는 인기 있는 미술관이다.

서울의 국립중앙박물관과 유적의 도시 경주의 경주국립박물관은 한국인에게도 인기 있는 박물관이자 한국을 찾은 외국인들도 꼭 가봐야 하는 박물관으로 인기가 있다.

Q 有名な美術館・博物館はどこか？

A 国立現代美術館、ソウル市立美術館など国家およ
び地方自治体が運営する美術館をはじめ、数多くの特色あ
る私立美術館が全国に散在している。大手企業三星の創業
者が設立したリウム美術館、有名洋画家の金煥基にちな
んで名付けられた煥基美術館などは、ソウルで簡単に訪れ
ることのできる人気美術館だ。

ソウルの国立中央博物館と遺跡の都市慶州の慶州国立博
物館は、韓国人にも人気の博物館であり、韓国を訪れた外
国人にも必ず訪れるべき博物館として人気がある。

영화와 드라마

Q 영화산업의 규모는 어느 정도인가?

A 한국의 영화산업은 2019년 한 해 총 2조 5,000억 원 규모로 해마다 증가해왔으나, 코로나19 이후 주춤한 상태이다. 한국에서 영화의 대성공을 의미하는 기준으로 관객 1,000만 명을 삼고 있는데, 2003년 <실미도>의 첫 1,000만 관객 돌파 이후, 2022년 <범죄도시 2>까지를 기준으로 한국의 1,000만 관객 돌파 영화는 총 28편이다. 이 중 외국 영화가 8편이고 한국 영화가 20편이다. 현재까지 한국 영화 가운데 가장 큰 흥행을 한 영화는 임진왜란과 이순신 장군의 이야기를 담은 <명량>으로, 1,760만여 명을 기록했다.

映画とドラマ

Q 映画産業の規模はどのくらいか？

A 　韓国の映画産業は 2019 年の 1 年間、計 2 兆 5,000 億ウォン規模で毎年増加してきたが、新型コロナウイルス感染症以後、停滞している状態だ。韓国で映画の大成功を意味する基準として観客 1,000 万人というのがあるが、2003 年『シルミド』の初の 1,000 万人突破以降、2022 年の『犯罪都市 2』までを基準に韓国の観客 1,000 万人突破映画は計 28 本。このうち外国映画が 8 本で、韓国映画が 20 本だ。現在まで韓国映画の中で最も大きな興行をした映画は壬辰倭乱と李舜臣将軍の話を盛り込んだ『鳴梁』（邦題：バトル・オーシャン　海上決戦）で、1,760 万人余りを記録した。

Q 드라마산업의 규모는 어느 정도인가?

A 한국 드라마는 한국뿐만 아니라 동아시아, 중동, 중앙아시아, 동남아, 남아시아, 중남미 등을 중심으로 큰 인기를 얻게 되어 질적 발전을 거듭한 끝에, 현재는 케이팝과 더불어 한류를 이끌어 나가는 중심문화로 자리 잡게 되었으며 여러 나라에 수출되고 있다. 특히 넷플릭스를 비롯한 OTT로 세계에서 한국 드라마를 접하기 쉬운 환경이 되었다. 일본에서도 <사랑의 불시착>, <이태원 클라쓰> 등이 큰 인기를 끌었으며, <오징어게임>은 전 세계적인 흥행을 기록해 비영어권 드라마 최초로 미국의 에미상을 수상하기도 했다.

Q ドラマ産業の規模はどのくらいか？

A 　韓国ドラマは韓国だけでなく東アジア、中東、中央アジア、東南アジア、南アジア、中南米などを中心に大きな人気を集め、質的発展を重ねた末、現在は K-POP とともに韓流をリードする中心文化として定着し、様々な国に輸出されている。特に Netflix をはじめとする OTT[*]で世界で韓国ドラマに接しやすい環境になった。日本でも『愛の不時着』、『梨泰院クラス』などが大きな人気を集め、『イカゲーム』は全世界的な興行を記録し、非英語圏ドラマで初めて米国のエミー賞を受賞した。

[*] "Over-The-Top" の略称で、インターネット回線を介して視聴者に直接提供されるコンテンツ配信サービスのこと。

음악과 K-POP

Q '아리랑'은 무엇인가?

A 아리랑은 한국의 대표적인 민요로 '아리랑', 또는 그와 유사한 발음의 어휘가 들어 있는 후렴을 규칙적으로, 또는 간헐적으로 띄엄띄엄 부르는 노래이다. 아리랑은 한국을 비롯하여 한반도와 해외 한민족 사회에서 널리 애창되는 대표적인 노래이며, 한민족 구성원이라면 누구나 알고 있다. 또한 아리랑은 가사가 정해져 있지 않고, 주제가 개방되어 있기에 무엇이든지 자유롭게 노래할 수 있다는 특징을 가지고 있다. 선율이 반복적이고 따라 부르기 쉬워서 외국인이라도 몇 번만 들으면 흥얼거릴 수 있다.

아리랑은 본래 한국 중동부지역에 위치한 강원도와 그 인근지역의 향토민요로서 나무하기, 모심기, 논매기, 밭매기 등과 같이 산과 들, 집안에서 이런 저런 일을 할 때 어울려 놀거나 혼자 있어 무료할 때 부르는 노래이다. 즉, 아리랑은 일상 속에서 흔히 부르는 평범한 사람들의 노래이다.

아리랑은 지역과 세대를 초월해 광범위하게 전승되고 재창조되고 있다는 점과 '아리랑 아리랑 아라리요'라는 후렴구만 들어가면 누구나 쉽게 만들어 부를 수 있다는 다양성의 가치를 가졌다. 아리랑은 2015년 국가무형문화재로 지정되어 보존·전승되고 있으

音楽とK-POP

Q 「アリラン」とは何か？

A アリランは韓国の代表的な民謡で「アリラン」、またはそれに似た発音の語彙が入っているサビを規則的に、または断続的にぽつりぽつり歌う歌である。アリランは韓国をはじめ朝鮮半島と海外韓民族社会で広く愛唱される代表的な歌であり、韓民族構成員なら誰でも知っている。また、アリランは歌詞が決まっておらず、テーマが開放されているため、何でも自由に歌えるという特徴を持っている。旋律が反復的で歌いやすいので、外国人でも何度か聞けば口ずさむことができる。

アリランは本来、韓国の中東部地域に位置する江原道とその近隣地域の郷土民謡で、柴刈り、田植え、田の草取り、畑の草取りなどのように山や野原、家の中であれこれするときに一緒に遊んだり、一人でいて退屈なときに歌う歌だ。つまり、アリランは日常の中でよく歌う平凡な人々の歌だ。

アリランは地域と世代を超えて広範囲に伝承され再創造されているという点と「アリランアリランアラリヨ」というサビさえ入れば誰でも簡単に作って歌うことができるという多様性の価値を持った。アリランは2015年に国家無

며, 2012년 유네스코 인류무형문화유산 으로 등재되었다.

Q 한국의 전통음악은 무엇인가?

A 한국의 전통음악으로는 국악과 민요, 판소리 등을 들 수 있다. 국악은 한국의 전통음악 전체를 이르기도 하지만, 좁은 의미로 궁중음악을 비롯해 신분 높은 양반들이 즐기던 음악을 말한다. 고려시대를 거쳐 조선시대에 정착되었다.

민속음악은 민중의 기층사회에서 형성되고 애호된 음악으로 과거 상층사회에서 애호되던 정악에 대한 대칭적인 개념의 전통음악이다. 대표적으로 민요는 본래 민중 생활 속에서 자연스럽게 불려온 것으로 각 지방마다 특색이 있는데, 일반적으로 경기민요·서도민요·남도민요로 가른다.

판소리는 소리꾼 한 명과 고수 한 명이 이야기를 음악으로 구연하는 장르이다. 최장 8시간 동안 연행되기도 한다. 서민들 사이에 구전으로 전해오던 판소리는 19세기 말에 문학적으로 내용이 더욱 풍부해져서 도시의 지식인들 사이에서도 높은 인기를 누리게 되었다. 판소리 소리꾼은 다양하고 독특한 음색을 터득하고 복잡한 내용을 모두 암기해야 하기 때문에 고도의 수련과정을 거쳐야 한다. 현재「춘향가」,「심청가」,「흥부가」,「수궁가」,「적

形文化財に指定され保存・伝承されており、2012年にユネスコ人類無形文化遺産に登録された。

Q 韓国の伝統音楽は何か？

A 韓国の伝統音楽としては国楽や民謡、パンソリなどが挙げられる。国楽は韓国の伝統音楽全体を指すこともあるが、狭い意味で宮廷音楽をはじめ身分の高い両班が好んでいた音楽をいう。高麗時代を経て朝鮮時代に定着した。

民俗音楽は民衆の基層社会で形成され愛好された音楽で、過去上層社会で愛好されていた正楽に対する対称的な概念の伝統音楽だ。代表的に民謡は本来民衆生活の中で自然に歌われてきたもので、各地方ごとに特色があるが、一般的に京畿民謡・西道民謡・南道民謡に分かれる。

パンソリは歌い手1人と鼓手1人が物語を音楽で口演するジャンルだ。最長8時間続けられることもある。庶民の間で語り継がれてきたパンソリは、19世紀末に文学的に内容がさらに豊かになり、都市の知識人の間でも高い人気を博すようになった。パンソリの歌い手は多様で独特な

パンソリ

벽가」의 다섯마당이 있으며, 2003년 유네스코 인류무형문화유산에 등재되었다.

Q '트로트'란 무엇인가?

A 5음계를 음악적 특징으로 하며, 일본 엔카의 번역·번안 노래를 거쳐 1930년을 전후한 시기에 국내 창작이 본격화되어, 1930년대 중반에 정착된 한국의 대중가요 양식이다. 신민요와 더불어 일본 식민지 시기 대중가요의 양대 산맥을 이루었다. 1960년대 이후 스탠더드팝이나 포크 등이 강세를 보이는 시기에 쇠락하지만, 새로운 양식들과의 혼융을 통해 계속 생명력을 유지했다. 2000년대 들어서는 시대에 뒤떨어진 중장년층의 노래라는 이미지에서 탈피하여 젊은층도 친근하게 즐길 수 있는 신트로트가 유행했다. 최근에는 트로트 가수를 선발하는 오디션 프로그램이 큰 인기를 끌어 이제는 남녀노소 누구나 즐기는 음악으로 정착하고 있다.

音色を会得し、複雑な内容を全て暗記しなければならないため、高度な修練過程を経なければならない。現在「春香歌」、「沈清歌」、「興夫歌」、「水宮歌」、「赤壁歌」の５つがあり、2003年ユネスコ人類無形文化遺産に登録された。

Q 「トロット」とは何か？

A 5音階を音楽的特徴とし、日本演歌の翻訳・翻案歌を経て1930年前後の時期に国内創作が本格化し、1930年代半ばに定着した韓国の大衆歌謡様式だ。新民謡とともに日本の植民地時期に大衆歌謡の二大山脈を形成した。1960年代以後、スタンダードポップやフォークなどが強勢を見せる時期に衰退するが、新しい様式との混融を通じて生命力を維持し続けた。2000年代に入ってからは時代遅れの中高年層の歌というイメージから脱皮し、若年層も身近に楽しめる新トロットが流行した。最近はトロット歌手を選抜するオーディションプログラムが大きな人気を集め、今は老若男女誰もが楽しむ音楽として定着している。

Q 케이팝의 시작은 언제부터?

A 이른바 케이팝의 시작은 1992년에 등장한 '서태지와 아이들'을 그 기점으로 삼는다. 이들은 경제성장으로 어느 정도 소비문화가 정착되던 시기, X세대 혹은 신세대로 불리던 젊은층의 문화를 대변하는 아이콘으로 활동했다. 이후 남성 아이돌 'H.O.T', '젝스키스', '신화', 여성 아이돌 'S.E.S', '핑클' 등 수많은 아이돌 그룹이 등장하면서 기존 중장년층 위주의 대중음악 시장에서 젊은층을 타깃으로 한 댄스음악으로 주류가 바뀌게 된다.

2000년대 이후에는 소위 3대 기획사로 일컬어지는 'SM', 'YG', 'JYP'가 서로 경쟁하며 새로운 스타일의 아이돌 그룹을 만들면서, 점차 국내를 벗어나 해외시장을 겨냥하기 시작했다. '동방신기', '빅뱅', '소녀시대', '카라' 등 수많은 아이돌 그룹이 일본과 중국, 동남아 시장에 진출하며 점차 케이팝이 세계에 알려지는 계기가 되었다. 현재 'BTS', '블랙핑크' 등은 세계적인 아이돌로 성장하여 케이팝을 대표하고 있다.

Q K-POP の始まりはいつから？

A いわゆる K-POP の始まりは 1992 年に登場した「ソテジワアイドゥル」をその基点とする。彼らは経済成長である程度消費文化が定着した時期、X 世代あるいは新世代と呼ばれた若年層の文化を代弁するアイコンとして活動した。その後、男性アイドル「H.O.T」、「Sechs Kies」、「神話」、女性アイドル「S.E.S」、「Fin.K.L.」など数多くのアイドルグループが登場し、既存の中高年層中心の大衆音楽市場で若年層をターゲットにしたダンス音楽に主流が変わることになる。

　2000 年代以後にはいわゆる 3 大企画会社と呼ばれる「SM」、「YG」、「JYP」が互いに競争し新しいスタイルのアイドルグループを作り、次第に国内を離れ海外市場を狙い始めた。「東方神起」、「BIGBANG」、「少女時代」、「KARA」など数多くのアイドルグループが日本と中国、東南アジア市場に進出し、次第に K-POP が世界に知られる契機になった。現在「BTS」、「BLACKPINK」などは世界的なアイドルに成長し、K-POP を代表している。

Q 아티스트와 아이돌은 다른가?

A 한국 음악산업에 한정해본다면, 아티스트와 아이돌을 구분해 취급해왔던 시절이 있었다. 여러 구분 기준이 있겠지만, 대표적으로 아티스트는 자신이 직접 만든 음악으로 자신의 세계를 표현하는 반면, 아이돌은 기획사의 상품으로 대중적인 인기를 위한 엔터테이너라는 생각이 그것이다. 실제로 한국의 아이돌은 10세 전후에 기획사에게 발탁되어 데뷔까지 오랜 기간 노래와 댄스 등 아이돌이 되기 위한 교육을 받았다. 이러한 시스템은 인권 차원에서 많은 비판을 받아왔지만, 케이팝의 성공 요인이 되었던 것 역시 사실이다. 하지만 케이팝 시장이 점차 성장하면서, 지금에 와서는 아이돌이 음악 작업에 참여하는 비중이 높아졌고, 그룹과는 별개로 자신의 음악을 직접 만들어 발표하는 등 상품으로서의 아이돌이 아닌 아티스트로서의 아이돌로 인정받고 있다.

Q アーティストとアイドルは違うのか？

A 韓国音楽産業に限ってみると、アーティストとアイドルを区分して扱ってきた時代があった。色々な区分基準があるだろうが、代表的にアーティストは自分が直接作った音楽で自分の世界を表現する反面、アイドルは企画会社の商品で大衆的な人気のためのエンターテイナーという考えがそれだ。実際、韓国のアイドルは10歳前後に事務所に抜擢され、デビューまで長い間、歌やダンスなどアイドルになるための教育を受ける。このようなシステムは人権レベルで多くの批判を受けてきたが、K-POPの成功要因になったのも事実だ。だが、K-POP市場が次第に成長し、今となってはアイドルが音楽作業に参加する比重が高まり、グループとは別に自身の音楽を直接作って発表するなど商品としてのアイドルではなくアーティストとしてのアイドルとして認められている。

출판과 독서

Q 출판산업의 규모는 어느 정도인가?

A   2019년 출판 생산통계를 살펴보면, 대한출판문화협회에 납본된 2019년 신간 도서의 발행 종수는 65,432종, 발행 부수는 99,793,643부, 평균 부수는 1,525부, 평균 가격은 16,486원으로 나타났다. 2019년 기준으로 출판사/인쇄사 검색 시스템에 등록되어 있으며 영업 중인 한국 출판사 수는 70,416개사이며, 이 중 최근 3년간 납본 실적이 있는 출판사의 수는 9,323개사다. 전체 등록 출판사 중 실질적으로 도서를 발간하는 출판사의 비중은 약 13.2%인 것으로 추정된다.

Q 서점은 얼마나 있나?

A   한국의 오프라인 서점 수는 약 2,500여 개로 해마다 그 수가 줄어들고 있다. 반면에 특색 있는 지역서점, 독립서점 등은 조금씩 늘고 있다. 한국의 도서유통 시장은 오프라인 서점이 약화되는 반면, 대형 온라인 서점의 영향력이 점차 확대되고 있다. 대

出版と読書

Q 出版産業の規模はどのくらいか？

A 2019年出版生産統計によると、大韓出版文化協会に納本された2019年新刊図書の発行種数は6万5,432種、発行部数は9,979万3,643部、平均部数は1,525部、平均価格は1万6,486ウォンと現れた。2019年基準で出版社／印刷社検索システムに登録されていて営業中の韓国出版社数は7万416社であり、このうち最近3年間納本実績のある出版社の数は9,323社だ。全体登録出版社のうち、実質的に図書を発刊する出版社の割合は約13.2%と推定される。

*2022年に日本で出版された新刊の発行点数は6万8608点、平均価格は1207円。（出典：公益社団法人全国出版協会・出版科学研究所「出版指標年報」）

Q 書店はどれくらいあるか？

A 韓国のオフライン書店数は約2,500か所余りで毎年その数が減っている。反面、特色のある地域書店、独立書店などは少しずつ増えている。韓国の図書流通市場はオフライン書店が弱まる反面、大型オンライン書店の影響力

*2020年現在、日本の書店数は9242店、出版社数は2907社。（出典：日販）

표적인 온라인 서점으로 '교보문고'(오프라인 서점으로도 유명), '예스24', '알라딘' 등이 있다.

Q 한국인은 책을 얼마나 읽는가?

A 2020년 조사에 따르면 종이책과 전자책·오디오북을 합한 한국 성인의 평균 종합 독서량은 4.5권으로 2019년 조사 때보다 3권 줄었다. 지난 1년간 일반 도서를 1권 이상 읽거나 들은 사람의 비율인 연간 종합 독서율도 47.5%로 8.2%포인트 감소했다. 초·중·고교 학생은 연간 종합 독서량(교과서·참고서 등 제외)이 34.4권, 종합 독서율이 91.4%로 2019년보다 독서량은 6.6권, 독서율은 0.7%포인트 감소했다. 그러나 20대 청년층의 독서율은 78.1%로 2019년보다 0.3%포인트 소폭 증가했고, 모든 성인 연령층과 비교해 높은 독서율과 많은 독서량을 보였다.

が次第に拡大している。代表的なオンライン書店として「教保文庫」（オフライン書店としても有名）、「イエス 24」、「アラジン」などがある。

Q 韓国人は本をどれくらい読むか?

A　2020 年の調査によると、紙の本と電子書籍・オーディオブックを合わせた韓国成人の平均総合読書量は 4.5 冊で、2019 年の調査時より 3 冊減った。この 1 年間、一般図書を 1 冊以上読んだり聞いたりした人の割合である年間総合読書率も 47.5% で 8.2% ポイント減少した。小・中・高校生は年間総合読書量（教科書・参考書など除く）が 34.4 冊、総合読書率が 91.4% で 2019 年より読書量は 6.6 冊、読書率は 0.7% 減少した。しかし、20 代青年層の読書率は 78.1% で 2019 年より 0.3% ポイント小幅に増加し、すべての成人年齢層と比べて高い読書率と多くの読書量を示した。

Q 한국에서 일본 책은 얼마나 읽히는가?

A 일본의 작가인 무라카미 하루키, 히가시노 게이고, 미야베 미유키, 요시모토 바나나 등은 한국에도 거의 모든 작품이 번역 출판되어 있을 정도로 유명하고 인기가 많다. 한국에서 번역 출판되는 외국서 가운데 영어권 다음으로 일본어 번역서가 차지하고 있다. 특히 단행본 출판만화 시장에서 일본 작품의 영향력은 절대적인 비중을 차지하고 있다.

Q 韓国で日本の書籍はどれくらい読まれるか?

A 日本の作家の村上春樹、東野圭吾、宮部みゆき、よしもとばななどは、韓国でもほとんどすべての作品が翻訳出版されているほど有名で人気がある。韓国で翻訳出版される外国書のうち、英語圏の次に日本語翻訳書が占めている。特に単行本の出版漫画市場で日本作品の影響力は絶対的な比重を占めている。

京畿道の坡州市には出版関係の企業が集う計画都市「パジュ出版都市」があり、出版社や印刷会社、紙や書籍の流通企業など200社以上が進出している。

한국의 스포츠

Q 한국의 국가 스포츠는?

A 일본의 유도와 비견할 수 있는 한국의 국가 스포츠로는 '태권도'를 들 수 있다. 그 밖에 일본의 스모와 견줄 만한 전통 스포츠로 '씨름'이 있다. 태권도는 무기 없이 손과 발을 이용해 공격 또는 방어하는 무도로, 발차기 기술을 특징으로 하는 현대에 형성된 전통무예 무술이다. 1988년 서울 하계올림픽에서 시범 종목으로 채택되었고, 2000년 시드니 하계올림픽부터 정식 종목으로 채택되었다. 그 밖에 인기 있는 프로스포츠로는 축구, 야구, 농구, 배구 등이 있다.

Q 씨름과 스모는 어떻게 다른가?

A 한국의 씨름과 일본의 스모는 그 원류는 같지만, 서로의 생활환경에 따른 각기의 민족성이 반영되어 변형, 발전되어 왔다. 씨름과 스모는 모두 상대방을 쓰러뜨리면 이기는 경기로

韓国のスポーツ

Q 韓国の国家スポーツは？

A 日本の柔道と肩を並べる韓国の国家スポーツとしては「テコンドー」が挙げられる。その他、日本の相撲に匹敵する伝統スポーツとして「シルム」がある。テコンドーは武器なしに手足を利用して攻撃または防御する武道で、蹴り技を特徴とする現代に形成された伝統武芸武術だ。1988年ソウル夏季オリンピックでモデル種目として採択され、2000年シドニー夏季オリンピックから正式種目として採択された。その他に人気のあるプロスポーツとしてはサッカー、野球、バスケットボール、バレーボールなどがある。

Q シルムと相撲はどう違うのか？

A 韓国のシルムと日本の相撲はその源流は同じだが、互いの生活環境に応じたそれぞれの民族性が反映され変形、発展してきた。シルムと相撲はどちらも相手を倒せ

밀고 당기기 등의 다양한 기술이 구사될 수 있다는 점은 비슷하다. 그러나 상대를 규격화된 모래판 밖으로 밀어내기만 해도 승자가 되는 스모와 달리, 씨름은 상대의 발 이외의 신체 부분을 땅에 닿게 해야 승자가 된다. 선수 가운데 한 명이 밖으로 밀려난 경우, 중앙에서 다시 경기를 시작한다. 따라서 씨름은 상대를 쓰러뜨리기 위한 기술이 좀 더 중요시된다. 또한 스모와 달리 씨름 경기는 보통 3판 2승을 주로 한다. 단판으로 승부를 결정하는 스모와 패자에게 다시 한 번 기회를 주는 씨름 경기 방식은 양 국가의 민족성을 반영하는 것일지도 모른다.

金弘道『シルム』

ば勝つ試合で駆け引きなど多様な技が駆使できるという点は似ている。しかし、相手を規格化した土俵の外に押し出すだけでも勝者になる相撲と違い、シルムは相手の足以外の身体部分を地面に触れさせてこそ勝者になる。選手の一人が外に押し出された場合、中央で再び試合を始める。したがって、シルムは相手を倒すための技術がより重要視される。また、相撲とは異なり、シルム競技は普通3戦2勝で行う。一本勝負を決める相撲と敗者にもう一度チャンスを与えるシルムのやり方は、両国の民族性を反映するものかもしれない。

シルム

Q 겨울 스포츠가 강한 이유는?

A 상당수 동계 스포츠는 장비나 경기장 시설 등 인프라 면에서 하계 스포츠에 비해 상대적으로 더 많은 비용과 자본이 필요하다. 한국의 동계 스포츠는 꽤 오랜 역사를 가지고 있었지만, 국제경기에 나설 수 있는 시설이나 인프라, 선수 저변을 제대로 갖추지 못했다. 1992년 알베르빌 동계올림픽에서 한국이 강세를 보였던 쇼트트랙이 정식 종목이 되면서 첫 메달을 획득했고, 이후 동계스포츠에 대한 국민의 관심이 고조되었다. 쇼트트랙은 국가적인 지원을 받으며 한국의 대표적인 올림픽 메달 종목으로 성장했다. 이후 점차 스피드 스케이팅, 피겨 스케이팅, 컬링 등으로 올림픽 메달이 확대되었다. 특히, 불모지라 불렸던 한국의 피겨 스케이팅 종목에서 김연아 선수가 세계적인 기량을 선보임으로써 한국 최고의 스포츠 스타로 자리했다.

Q 冬のスポーツが強い理由は？

A 　相当数の冬季スポーツは装備や競技場施設などインフラ面で夏季スポーツに比べて相対的に多くの費用と資本が必要だ。韓国の冬季スポーツはかなり長い歴史を持っていたが、国際競技に出場できる施設やインフラ、選手の底辺をきちんと備えていなかった。1992年アルベールビル冬季五輪で韓国が強勢を見せたショートトラックが正式種目になって初メダルを獲得し、以後冬季スポーツに対する国民の関心が高まった。ショートトラックは国家的な支援を受け、韓国の代表的な五輪メダル種目に成長した。以後次第にスピードスケート、フィギュアスケート、カーリングなどにオリンピックメダルが拡大した。特に、不毛の地と呼ばれた韓国のフィギュアスケート種目でキム・ヨナ選手が世界的な技量を披露し、韓国最高のスポーツスターとなった。

경축일과 기념일

Q 한국인은 연말연시를 어떻게 보내는가?

A 한국은 음력 정월을 쇠기에 신년은 1월 1일 하루만 공휴일로 지정되어 있고, 일본처럼 장기간의 연휴가 없다. 하지만 한국의 학교는 12월 중순경에 겨울방학이 시작되고, 12월 25일 크리스마스가 공휴일로 지정되어 있어 이때 즈음이면 연말 분위기가 풍긴다. 회사에서는 송년회를 하며 한 해를 마무리하고, 티비에서도 각종 연말 시상식이 열린다. 12월 31일 0시에는 전국 각지에서 제야의 종 타종 행사가 열리며, 서울의 타종 행사장인 종로 보신각에는 수많은 인파가 몰려 한 해를 무사히 보냈음을 기념한다. 1월 1일에는 새해 첫 일출을 보기 위해 동해안 각지의 일출 명소에 사람들이 몰려 한 해의 소망을 기원한다.

祝日と記念日

Q 韓国人は年末年始をどのように過ごすのか?

A 韓国は旧暦の正月を祝うので新年は1月1日の一日だけ祝日に指定されており、日本のように長期間の連休がない。しかし、韓国の学校は12月中旬頃に冬休みが始まり、12月25日にクリスマスが祝日に指定されており、この頃には年末の雰囲気が漂う。会社では忘年会をしながら一年を締めくくり、テレビでも各種年末授賞式が開かれる。12月31日0時には全国各地で除夜の鐘の打鐘行事が開かれ、ソウルの打鐘行事場である鐘路普信閣には数多くの人波が押し寄せ、一年を無事に過ごしたことを記念する。1月1日には新年の初日の出を見るために東海岸各地の日の出名所に人々が集まり、一年の願いを祈る。

Q 설날은 무엇인가? 추석은?

A 설날과 추석은 한국의 대표적인 명절로 각각 3일간의 연휴로 지정되어 있다. 설날은 음력 1월 1일로 고향집을 찾아 조상에게 차례를 지내고, 부모님 및 친척들에게 세배를 올리는 풍습이 있다. 그 이후에는 윷놀이·널뛰기·연날리기 등 여러 민속놀이를 하며 이 날을 즐겼다. 설에 먹는 대표적인 음식으로 '떡국'이 있는데, 해마다 나이가 변하는 한국 나이의 특성상, 아이들에게 나이를 물을 때 "떡국 몇 그릇 먹었느냐"고 묻기도 한다.

설과 함께 대표적인 명절인 추석은 음력 8월 15일로 '한가위'라고도 한다. 예로부터 농경사회였던 한국은 한 해 농사를 수확하는 추석이 되면, 조상에게 차례를 지내고 성묘하는 풍습이 있었다. 추석의 대표적인 음식으로는 '송편'이라는 떡이 있다. 해마다 설과 추석이 되면 고향을 찾는 수많은 인파로 인해 전국적인 교통체증이 발생한다.

＊茶礼とは、旧正月や秋夕といった名節の朝に行われる先祖の霊を迎え入れるための祭礼。各家庭で祭壇に食べ物を供え、拝礼など一連の儀式を行ってから墓参りに行く。

Q 旧正月とは何か？　秋夕とは？

A 　旧正月と秋夕は韓国の代表的な祝日で、それぞれ 3 日間の連休に指定されている。旧正月は旧暦 1 月 1 日* で故郷の家を訪ねて先祖に茶礼*を行い、両親および親戚 に新年の挨拶をする風習がある。その後はユンノリ*・板跳 び・凧揚げなど色々な民俗遊びをしながらこの日を楽しん だ。旧正月に食べる代表的な食べ物として「トックク（お 雑煮）」があるが、毎年変わる韓国の年齢の特性上、子ど もたちに年齢を尋ねるときに「トッククを何杯食べたか」 と尋ねることもある。

　旧正月とともに代表的な名節である秋夕は旧暦 8 月 15 日で「ハンガウィ」とも呼ばれる*。昔から農耕社会だっ た韓国は一年の農業を収穫する秋夕になると、先祖に茶礼 を行い墓参りをする風習があった。秋夕の代表的な食べ物 としては「松餅（ソンピョン）」という餅がある。毎年旧正月と秋夕に なると故郷を訪れる数多くの人波によって全国的な交通渋 滞が発生する。

＊現在の暦で 1 月末〜 2 月中 旬頃に三連休 となる。

＊ユンノリは朝 鮮半島に伝わ るすごろくのよ うな遊び。

＊現在の暦で 9 月上旬〜10 月 上旬頃に三連 休となる。「ハ ンガウィ」は韓 国の固有語で 「가위（秋の中 心）」に「한（大 きな）」を合わ せた言葉。

Q 삼일절은 무엇인가?

A 삼일절은 한국의 국경일로, 일본 식민지 시기인 1919년 3월 1일 일본의 지배에 항거하여 한일병합조약의 무효와 한국의 독립을 선포한 삼일운동을 기념하여 지정되었다. 고종의 장례식이었던 이 날 민족대표 33인으로 불리는 각계 지도자가 모여 독립선언서를 낭독했으며, 이를 기점으로 전국적인 규모의 항일 시위가 발생했다. 특히 이 운동을 계기로 해외에 흩어져 있던 독립운동 세력이 규합하여 대한민국 임시정부를 설립하게 된다. 대한민국 임시정부에서 처음으로 국경일로 지정했고, 건국 이후 이를 계승했다.

Q 어버이날은 언제?

A 어버이날은 부모에게 감사의 마음을 전하는 날로, 날짜는 5월 8일이며 공휴일은 아니다. 아버지의 날과 어머니의 날을 구분해 기념하는 다른 많은 외국과 달리 한국은 함께 기념하고 있다. 다른 나라들처럼 이 날이 되면 자녀는 부모님께 카네이션을 달아드리며 감사를 표한다. 어버이날과 함께 5월 5일은 어린이날(법정공휴일), 5월 15일은 스승의 날로 지정되어 있다.

Q 三一節とは何か？

A 　三一節は韓国の祝日で、日本植民地時代の 1919 年 3 月 1 日、日本の支配に抵抗し、日韓併合条約の無効と韓国の独立を宣言した三・一運動を記念して指定された。高宗の葬式だった同日、「民族代表 33 人」と呼ばれる各界の指導者が集まって独立宣言書を朗読し、これを基点に全国的な規模の抗日デモが発生した。特にこの運動を契機に海外に散在していた独立運動勢力が糾合して大韓民国臨時政府を設立することになる。大韓民国臨時政府で初めて祝日に指定し、建国後これを継承した。

Q 両親の日はいつ？

A 　両親の日は父母に感謝の気持ちを伝える日で、日付は 5 月 8 日であり、休日ではない。父の日と母の日を区分して記念する他の多くの外国とは違って、韓国は一緒に記念している。他の国々のように、この日になると子どもは両親にカーネーションをつけて感謝する。父母の日とともに 5 月 5 日は子どもの日（法定休日）、5 月 15 日は先生

Q 한국에도 성인식이 있는가?

A 한국은 매년 5월 셋째 주 월요일을 '성년의 날'로 지정하여, 만 19세가 된 젊은이를 축하하고 기념한다. 본래 고려나 조선 시대에는 '성년례'라고 불리는 성인식이 있어서, 성인이 된 남자는 상투를 달아주고, 여자는 머리에 비녀를 달아주는 의식을 행했다. 현재는 특정한 성인식은 없어졌으며, 대신 이 날 성인이 된 사람에게 선물을 주는데, 여성에게 주는 대표적인 세 가지 선물은 '장미, 향수, 키스'이다.

Q 한글날은?

A 한글날은 한글의 우수성을 널리 알리고 세종대왕이 '훈민정음'을 창제하여 반포한 사실을 기념하기 위한 목적으로 한글이 반포된 10월 9일을 기념일로 지정한 국경일이다. 훈민정음은 백성을 가르치는 바른 소리라는 뜻이다. 훈민정음이라고 부르

の日[*]に指定されている。

＊学校の先生や
かつての恩師
を敬い、感謝
を伝える日。

Q 韓国にも成人式があるか?

A 韓国は毎年5月第3月曜日を「成年の日」に指定し、満19歳になった若者を祝って記念する。本来、高麗や朝鮮時代には「成年礼」と呼ばれる成人式があり、成人になった男性はサントゥ（結い上げたまげ）をつけ、女性は頭にかんざしをつける儀式を行った。現在は特定の成人式はなくなり、代わりにこの日成人になった人にプレゼントを与えるが、女性に与える代表的な3つのプレゼントは「バラ、香水、キス」だ。

Q ハングルの日とは?

A ハングルの日はハングルの優秀性を広く知らせ、世宗大王が「訓民正音」を創製して頒布した事実を記念する目的でハングルが頒布された10月9日を記念日に指定した祝日だ。訓民正音は民を訓える正しい音という意味だ。

는 대상은 두 가지가 있는데, 그 하나는 1443년 음력 12월(양력 1444년 1월)에 세종대왕이 만든 한국어의 표기 체계, 즉 오늘날의 한글을 창제 당시에 부른 이름이고, 또 하나는 1446년 9월에 발간된 이 새로운 문자에 대해 설명한 한문 해설서의 이름이다.

Q 서양에서 유래한 기념일도 있는가?

A 서양에서 유래한 대표적인 기념일로 12월 25일 크리스마스가 있다. 이 날은 공휴일로 지정되어 있으며, 불교계의 요구에 따라 석가탄신일 또한 공휴일이다. 크리스마스는 단지 종교적인 행사뿐 아니라 연말 분위기와 어울려 전 국민, 특히 연인들에게 인기 있는 기념일이다.

연인들의 기념일로 2월 14일의 밸런타인데이도 오래 전부터 유행했다. 동양에서 이 날은 여자가 남자에게 초콜릿을 선물하는 날이라는 고정관념이 있는데, 한국 역시 마찬가지다. 이 때문에 다음달인 3월 14일은 남자가 여자에게 사탕을 선물하는 화이트데이로 파생되었다. 나아가 4월 14일은 밸런타인데이와 화이트데이에 선물을 받지 못한 솔로 남녀가 혼자서 자장면을 먹는 날인 블랙데이가 생기기도 했다.

「訓民正音」と呼ばれる対象は 2 つあるが、一つは 1443 年旧暦 12 月（陽暦 1444 年 1 月）に世宗が作った韓国語の表記体系、すなわち今日のハングルを創製当時に呼んだ名前で、もう一つは 1446 年 9 月に発刊されたこの新しい文字について説明した漢文解説書の名前だ。

Q 西洋由来の記念日もあるのか？

A

西洋に由来した代表的な記念日として 12 月 25 日のクリスマスがある。この日は祝日に指定されており、仏教界の要求により釈迦生誕日[*]もまた祝日だ。クリスマスは宗教的な行事だけでなく年末の雰囲気と相まって全国民、特に恋人たちに人気のある記念日だ。

恋人たちの記念日として 2 月 14 日のバレンタインデーもずいぶん前から流行っていた。東洋でこの日は女性が男性にチョコレートをプレゼントする日という固定観念があるが、韓国もやはり同じだ。このため次月の 3 月 14 日は、男性が女性に飴をプレゼントするホワイトデーに派生した。さらに 4 月 14 日はバレンタインデーとホワイトデーにプレゼントをもらえなかったソロ男女が一人でジャージャー麺を食べるブラックデーもできた。

*旧暦 4 月 8 日で毎年日付が変わる。日本では「灌仏会」や「花まつり」として知られている。

Q 한국의 커플은 기념일을 중요하게 생각하는 사람이 많은가?

A 물론 사람에 따라 편차는 있지만, 한국의 젊은 커플은 대체로 기념일을 소중히 여기는 편에 속한다. 대표적으로 크리스마스나 밸런타인데이, 상대의 생일 등은 연인 사이에서 중요한 기념일이며, 그 밖에도 개인 사이의 사적인 기념일을 정해 선물을 주고받기도 한다. 예를 들면, 사귄 지 100일, 200일, 1주년 등의 기념일이 그것이다. 이러한 기념일을 잊는 것은 상대에 대한 큰 실례로 여겨지기도 한다. 이로 인해 연인 사이의 기념일은 때때로 기업체의 상술의 표적이 되기도 한다. 한국에서는 11월 11일을 '빼빼로데이'로 명명하여, 동명의 과자와 함께 선물을 주고 받는 날로 알려져 있는데, 이는 과자업체의 상술의 일환으로 시작된 것이었다.

Q 韓国のカップルは記念日を大切に思う人が多いのか？

A もちろん人によって差はあるが、韓国の若いカップルは概して記念日を大切にする方だ。代表的なクリスマスやバレンタインデー、相手の誕生日などは恋人の間で重要な記念日であり、他にも個人間の私的な記念日を決めてプレゼントを取り交わすこともある。例えば、付き合って100日、200日、1周年などの記念日がそれだ。このような記念日を忘れることは、相手に対する大きな失礼と思われることもある。このため、恋人同士の記念日はときどき企業の戦略のターゲットになったりもする。韓国では11月11日を「ペペロデー」と命名し、同名の菓子とともに贈り物を交わす日として知られているが、これは菓子業者の商術の一環として始まったものだった。

教えてキムさん！ もっと気になる韓国の なぜ？ なに？

最近は日本の出版界で「K-文学」という新たなジャンルが確立されています。韓国ドラマの中に登場した本や芸能人の愛読書が翻訳されているものが多いですが、こうした書籍は韓国でもよく売れているのですか？

최근에는 일본 출판계에서 'K-문학'이라는 새로운 장르가 확립되고 있습니다. 한국 드라마 중에 등장한 책이나 연예인의 애독서가 번역되어 있는 것이 많은데, 이런 서적들은 한국에서도 잘 팔리나요?

そうですね、ベストセラーになることもあります。ただ、そうした「PPL*」が非難の対象になることもあります。PPL のせいでドラマの完成性に欠ける、なんて言われることもありますね。

그렇죠, 베스트셀러가 될 수도 있어요. 다만 그런 '피피엘*'이 비난의 대상이 될 수도 있습니다. 피피엘 때문에 드라마가 완성성이 떨어진다는 소리를 듣기도 하지요.

＊「Product Placement」の略称で「간접광고（間接広告）」とも呼ばれる。映画やドラマなどで、役者が使う小道具として実在の商品や商標を登場させる広告手法。

それも出版社の販売戦略ですね。日本で人気の「K-文学」は小説だけでなく短い文章をまとめたエッセイや詩集も多いような気がしますが、韓国で人気のジャンルは何ですか？

그것도 출판사의 판매 전략이네요. 일본에서 인기 있는 'K-문학'은 소설뿐만 아니라 짧은 문장을 묶은 에세이나 시집도 많은 것 같은데, 한국에서 인기 있는 장르는 무엇인가요?

韓国でも大衆文学は売れています。それは映画やドラマの原作になるからで、作家もそれを狙って書いているところがあります。でも、詩集は韓国では売れないので、基本的には詩人が少部数で自費出版します。売れているものは、やはりドラマや芸能人の影響があるからです。

한국에서도 대중문학은 잘 팔리고 있습니다. 그것은 영화나 드라마의 원작이 되기 때문이고, 작가도 그것을 노리고 쓰는 경우가 있습니다. 하지만 시집은 한국에서는 팔리지 않기 때문에 기본적으로 시인이 적은 부수로 자비 출판을 합니다. 잘 팔리는 것은 역시 드라마나 연예인의 영향이 있기 때문입니다.

詩集が商業出版で売れないなんて、詩集が好きな私としては悲しいです。日本の出版界では漫画の市場規模が大きいですが、韓国ではどうですか？

시집이 상업 출판으로 팔리지 않다니 시집을 좋아하는 저로서는 슬픈 일이네요. 일본 출판계에서는 만화 시장 규모가 큰데 한국에서는 어떤가요？

 韓国の出版界では漫画の市場規模はとても小さいんです。もともと韓国で漫画家といえば、貧乏というイメージがありました。ですが、今はウェブトゥーンが大成功しています。やはりドラマや映画の原作になりやすいからですね。多くの人が簡単に読めてすぐに流行するという点も大きいです。

한국 출판계에서는 만화 시장 규모가 아주 작아요. 원래 한국에서 만화가 하면 가난하다는 이미지가 있었어요. 하지만 지금은 웹툰이 크게 성공하고 있어요. 아무래도 드라마나 영화의 원작이 되기 쉽기 때문이죠. 많은 사람들이 쉽게 읽을 수 있고 빨리 유행한다는 점도 큽니다.

 紙の本がどんどん売れなくなっているのは日本も韓国も同じなんですね……。それでも、韓国の本は装丁やイラストにこだわっているのも人気の秘密だと思いますが？

종이책이 점점 팔리지 않게 되고 있는 것은 일본이나 한국이나 마찬가지네요……. 그래도 한국 책은 장정이나 일러스트를 고집하는 것도 인기의 비밀이라고 생각하는데요？

 それは、そうでもしないと売れないからです。基本的に1回読んだら不要になるものだけれど、華やかな本ならインテリアになりますから（笑）。ハードカバーにしたり、紙面をフルカラーにしたり、いろいろ工夫をしているんです。重版されるとそのたびにカバーもどんどん華やかになりますよ。

그건 그렇게라도 해야 팔리기 때문이에요. 책은 기본적으로 한 번 읽으면 불필요해지는 법이지만 화려한 책이라면 인테리어가 되니까요^^. 양장을 하거나 지면을 풀 컬러로 하거나 여러 가지 궁리를 하고 있습니다. 중판이 되면 그때마다 커버도 점점 화려해져요.

 韓国でも「ジャケ買い」ってあるんですね。いろいろとお話ししてくださり、ありがとうございました！

한국에도 '자켓 사기'가 있네요. 여러 가지 이야기해주셔서 감사합니다！

韓国 Q&A

2023年4月6日　第1刷発行

著　者　　　キム・ヒョンデ

発行者　　　浦　　晋亮

発行所　　　IBCパブリッシング株式会社
　　　　　　〒162-0804 東京都新宿区中里町29番3号 菱秀神楽坂ビル
　　　　　　Tel. 03-3513-4511　Fax. 03-3513-4512
　　　　　　www.ibcpub.co.jp

印刷所　　　株式会社シナノパブリッシングプレス

ISBN978-4-7946-0754-6